WILHELM HEINRICH WACKENRODER
UND LUDWIG TIECK

Herzensergießungen eines kunstliebenden Klosterbruders

NACHWORT VON RICHARD BENZ

PHILIPP RECLAM JUN. STUTTGART

Der Göttliche Raphael

Herzensergießungen

eines

kunstliebenden Klosterbruders.

Berlin.
Bey Johann Friedrich Unger.
1797.

Universal-Bibliothek Nr. 7860

Gesamtherstellung: Reclam, Ditzingen. Printed in Germany 2001
RECLAM und UNIVERSAL-BIBLIOTHEK sind eingetragene Marken
der Philipp Reclam jun. GmbH & Co., Stuttgart
ISBN 3-15-007860-1

An den Leser dieser Blätter

In der Einsamkeit eines klösterlichen Lebens, in der ich nur noch zuweilen dunkel an die entfernte Welt zurückdenke, sind nach und nach folgende Aufsätze entstanden. Ich liebte in meiner Jugend die Kunst ungemein, und diese Liebe hat mich, wie ein treuer Freund, bis in mein jetziges Alter begleitet: ohne daß ich es bemerkte, schrieb ich aus einem innern Drange meine Erinnerungen nieder, die du, geliebter Leser, mit einem nachsichtsvollen Auge betrachten mußt. Sie sind nicht im Ton der heutigen Welt abgefaßt, weil dieser Ton nicht in meiner Gewalt steht und weil ich ihn auch, wenn ich ganz aufrichtig sprechen soll, nicht lieben kann.

In meiner Jugend war ich in der Welt und in vielen weltlichen Geschäften verwickelt. Mein größter Drang war zur Kunst, und ich wünschte ihr mein Leben und alle meine wenigen Talente zu widmen. Nach dem Urteile einiger Freunde war ich im Zeichnen nicht ungeschickt, und meine Kopien sowohl als meine eigenen Erfindungen mißfielen nicht ganz. Aber immer dachte ich mit einem stillen, heiligen Schauer an die großen, gebenedeiten Kunstheiligen; es kam mir seltsam, ja fast albern vor, daß ich die Kohle oder den Pinsel in meiner Hand führte, wenn mir der Name Raffaels oder Michelangelos in das Gedächtnis fiel. Ich darf es wohl gestehen, daß ich zuweilen aus einer unbeschreiblichen wehmütigen Inbrunst weinen mußte, wenn ich mir ihre Werke und ihr Leben recht deutlich vorstellte: ich konnte es nie dahin bringen – ja ein solcher Gedanke würde mir gottlos vorgekommen sein –, an meinen auserwählten Lieblingen das Gute von dem sogenannten Schlechten zu sondern und sie am Ende alle in *eine* Reihe zu stellen, um sie mit einem kalten, kritisierenden Blicke zu betrachten, wie es junge

Künstler und sogenannte Kunstfreunde wohl jetzt zu machen pflegen. So habe ich, ich will es frei gestehn, in den Schriften des *H. von Ramdohr* nur weniges mit Wohlgefallen gelesen; und wer diese liebt, mag das, was ich geschrieben habe, nur sogleich aus der Hand legen, denn es wird ihm nicht gefallen. Diese Blätter, die ich anfangs gar nicht für den Druck bestimmt, widme ich überhaupt nur jungen angehenden Künstlern, oder Knaben, die sich der Kunst zu widmen gedenken und noch die heilige Ehrfurcht vor der verflossenen Zeit in einem stillen, unaufgeblähten Herzen tragen. Sie werden vielleicht durch meine sonst unbedeutenden Worte noch mehr gerührt, zu einer noch tiefern Ehrfurcht bewegt; denn sie lesen mit derselben Liebe, mit der ich geschrieben habe.
Der Himmel hat es so gefügt, daß ich mein Leben in einem Kloster beschließe: diese Versuche sind daher das einzige, was ich jetzt für die Kunst zu tun imstande bin. Wenn sie nicht ganz mißfallen, so folgt vielleicht ein zweiter Teil, in welchem ich die Beurteilungen einiger einzelner Kunstwerke widerlegen möchte, wenn mir der Himmel Gesundheit und Muße verleiht, meine niedergeschriebenen Gedanken hierüber zu ordnen und in einen deutlichen Vortrag zu bringen. –

Raffaels Erscheinung

Die Begeisterungen der Dichter und Künstler sind von jeher der Welt ein großer Anstoß und Gegenstand des Streites gewesen. Die gewöhnlichen Menschen können nicht begreifen, was es damit für eine Bewandtnis habe, und machen sich darüber durchaus sehr falsche und verkehrte Vorstellungen. Daher sind über die inneren Offenbarungen der Kunstgenies ebenso viele Unvernünftigkeiten, *in* und *außer* Systemen, methodisch und unmethodisch abgehandelt und geschwatzt worden als über die Mysterien unsrer heiligen Religion. Die sogenannten Theoristen und Systematiker beschreiben uns die Begeisterung des Künstlers von Hörensagen und sind vollkommen mit sich selbst zufrieden, wenn sie mit ihrer eiteln und profanen Philosophasterei umschreibende Worte zusammengesucht haben für etwas, wovon sie den Geist, der sich in Worte nicht fassen läßt, und die Bedeutung nicht kennen. Sie reden von der Künstlerbegeisterung als von einem Dinge, das sie vor Augen hätten; sie erklären es und erzählen viel davon; und sie sollten billig das heilige Wort auszusprechen erröten, denn sie wissen nicht, *was* sie damit aussprechen.
Mit wie unendlich vielen unnützen Worten haben sich nicht die überklugen Schriftsteller neuerer Zeiten bei der Materie von den *Idealen* in den bildenden Künsten versündigt! Sie gestehen ein, daß der Maler und Bildner zu seinen Idealen auf einem außerordentlicheren Wege als dem Wege der gemeinen Natur und Erfahrung gelangen müsse; sie geben zu, daß dies auf eine *geheimnisvolle* Weise geschehe: und doch bilden sie sich und ihren Schülern ein, sie wüßten das Wie; – denn es scheint, als würden sie sich schämen, wenn irgend etwas in der Seele des Menschen versteckt und

verborgen liegen sollte, worüber sie wißbegierigen jungen Leuten nicht Auskunft geben könnten.
Andre sind nun gar in der Tat ungläubige und verblendete Spötter, welche das Himmlische im Kunstenthusiasmus mit Hohnlachen gänzlich ableugnen und durchaus keine besondere Auszeichnung oder Weihe gewisser seltener und erhabener Geister annehmen wollen, weil sie sich selber allzu entfernt von ihnen fühlen. Diese liegen indessen ganz außer meinem Wege, und ich rede mit ihnen nicht.
Aber die Afterweisen, auf welche ich deutete, wünsche ich zu belehren. Sie verwahrlosen die jungen Gemüter ihrer Schüler, indem sie ihnen so kühn und leichtsinnig abgesprochene Meinungen über göttliche Dinge beibringen, als wären es menschliche, und ihnen dadurch den Wahn einpflanzen, als stände es in ihrer Macht, dreist zu ergreifen, was die größesten Meister der Kunst – ich darf es frei heraus sagen – nur durch göttliche Eingebung erlangt haben.
Man hat so manche Anekdoten aufgezeichnet und immer wieder erzählt, so manche bedeutende Wahlsprüche von Künstlern aufbehalten und immer wiederholt; und wie ist es möglich gewesen, daß man sie so bloß mit oberflächlicher Bewunderung anhörte, daß keiner darauf kam, aus diesen sprechenden Zeichen das Allerheiligste der Kunst, worauf sie hindeuteten, zu ahnden? und nicht auch hier, wie in der übrigen Natur, die Spur von dem Finger Gottes anzuerkennen?
Ich für mein Teil habe von jeher diesen Glauben bei mir gehegt; aber mein dunkler Glauben ist jetzt zur hellsten Überzeugung aufgeklärt worden. Glücklich bin ich, daß der Himmel mich ausersehen hat, seinen Ruhm durch einen einleuchtenden Beweis seiner unerkannten Wunder auszubreiten: es ist mir gelungen, einen neuen Altar zur Ehre Gottes aufzubauen. –
Raffael, welcher die leuchtende Sonne unter allen

Malern ist, hat uns in einem Briefe von ihm an den Grafen von Castiglione folgende Worte, die mir mehr wert sind als Gold und die ich nie ohne ein geheimes dunkles Gefühl von Ehrfurcht und Anbetung habe lesen können, hinterlassen, worin er sagt:
»Da man so wenig schöne weibliche Bildungen sieht, so halte ich mich an ein gewisses Bild im Geiste, welches in meine Seele kommt.«*
Über diese bedeutungsvollen Worte nun ist mir neulich ganz unerwartet, zu meiner innigen Freude, ein helles Licht aufgesteckt worden.
Ich durchsuchte den Schatz von alten Handschriften in unserm Kloster und fand unter manchem nichtsnützigen bestäubten Pergament einige Blätter von der Hand des Bramante, von denen es nicht zu begreifen ist, wie sie an diesen Ort gekommen sind. Auf dem einen Blatte stand folgendes geschrieben, wie ich es ohne weiteren Umschweif zu deutsch hier hersetzen will:
»Zu meinem eigenen Vergnügen, und um es mir genau aufzubewahren, will ich hier einen wunderbaren Vorfall aufzeichnen, welchen der teure Raffael, mein Freund, mir unter dem Siegel der Verschwiegenheit vertraut hat. Als ich ihm vor einiger Zeit meine Bewunderung wegen seiner über alles schön gemalten Madonnen und Heiligen Familien aus vollem Herzen zu erkennen gab und mit recht vielen Bitten in ihn drang, mir doch zu sagen, von woher er denn in aller Welt die unvergleichliche Schönheit, die rührenden Mienen und den unübertrefflichen Ausdruck in seinen Bildern der Heiligen Jungfrau entlehnt habe; so ward er, nachdem er mich eine Zeitlang mit seiner ihm eigenen jünglinghaften Schamhaftigkeit und Verschlossenheit hingehalten hatte, endlich sehr bewegt, fiel mir mit Tränen um den Hals und entdeckte mir sein Geheimnis. Er erzählte mir, wie er von seiner zarten

* Essendo carestia di belle donne, io mi servo di certa idea che me viene al mente.

Kindheit an immer ein besondres heiliges Gefühl für die Mutter Gottes in sich getragen habe, so daß ihm zuweilen schon beim lauten Aussprechen ihres Namens ganz wehmütig zumute geworden sei. Nachher, da sein Sinn sich auf das Malen gerichtet habe, sei es immer sein höchster Wunsch gewesen, die Jungfrau Maria recht in ihrer himmlischen Vollkommenheit zu malen; aber er habe es sich noch immer nicht getraut. In Gedanken habe sein Gemüt beständig an ihrem Bilde, Tag und Nacht, gearbeitet; allein er habe es sich gar nicht zu seiner Befriedigung vollenden können; es sei ihm immer gewesen, als wenn seine Phantasie im Finstern arbeitete. Und doch wäre es zuweilen wie ein himmlischer Lichtstrahl in seine Seele gefallen, so daß er die Bildung in hellen Zügen, wie er sie gewollt, vor sich gesehen hätte; und doch wäre das immer nur ein Augenblick gewesen, und er habe die Bildung in seinem Gemüte nicht festhalten können. So sei seine Seele in beständiger Unruhe herumgetrieben; er habe die Züge immer nur umherschweifend erblickt, und seine dunkle Ahndung hätte sich nie in ein klares Bild auflösen wollen. Endlich habe er sich nicht mehr halten können und mit zitternder Hand ein Gemälde der Heiligen Jungfrau angefangen; und während der Arbeit sei sein Inneres immer mehr erhitzt worden. Einst, in der Nacht, da er, wie es ihm schon oft geschehen sei, im Traume zur Jungfrau gebetet habe, sei er, heftig bedrängt, auf einmal aus dem Schlafe aufgefahren. In der finsteren Nacht sei sein Auge von einem hellen Schein an der Wand, seinem Lager gegenüber, angezogen worden, und da er recht zugesehen, so sei er gewahr worden, daß sein Bild der Madonna, das, noch unvollendet, an der Wand gehangen, von dem mildesten Licht strahle und ein ganz vollkommenes und wirklich lebendiges Bild geworden sei. Die Göttlichkeit in diesem Bilde habe ihn so überwältigt, daß er in helle Tränen ausgebrochen sei. Es habe ihn mit den

Augen auf eine unbeschreiblich rührende Weise angesehen und habe in jedem Augenblick geschienen, als wolle es sich bewegen; und es habe ihn gedünkt, als bewege es sich auch wirklich. Was das wunderbarste gewesen, so sei es ihm vorgekommen, als wäre dies Bild nun grade das, was er immer gesucht, obwohl er immer nur eine dunkle und verwirrte Ahndung davon gehabt. Wie er wieder eingeschlafen sei, wisse er sich durchaus nicht zu erinnern. Am andern Morgen sei er wie neugeboren aufgestanden; die Erscheinung sei seinem Gemüt und seinen Sinnen auf ewig fest eingeprägt geblieben, und nun sei es ihm gelungen, die Mutter Gottes immer so, wie sie seiner Seele vorgeschwebt habe, abzubilden, und er habe immer selbst vor seinen Bildern eine gewisse Ehrfurcht gefühlt. – Das erzählte mir mein Freund, mein teurer Raffael, und es ist mir dieses Wunder so wichtig und merkwürdig gewesen, daß ich es für mich, zu meiner Ergötzung niedergeschrieben habe.« –
So ist der Inhalt des unschätzbaren Blattes, welches in meine Hände fiel. Wird man nun deutlich vor Augen sehen, was der göttliche Raffael unter den merkwürdigen Worten versteht, wenn er sagt:
»Ich halte mich an ein gewisses Bild im Geiste, welches in meine Seele kommt.«
Wird man, durch dieses offenbare Wunder der himmlischen Allmacht belehrt, verstehen, daß seine unschuldige Seele in diesen einfachen Worten einen sehr tiefen und großen Sinn aussprach? Wird man nun nicht endlich begreifen, daß all das profane Geschwätz über Begeisterung des Künstlers wahre Versündigung sei – und überführt sein, daß es dabei doch geradezu auf nichts anderes als den unmittelbaren göttlichen Beistand ankomme?
Aber ich füge nichts mehr hinzu, um jeden über diesen so wichtigen Gegenstand der ernsten Betrachtung seinem eigenen Nachdenken zu überlassen.

Sehnsucht nach Italien

Durch einen seltsamen Zufall hat sich folgendes kleine Blatt bis jetzt bei mir aufbewahrt, das ich schon in meiner frühen Jugend niederschrieb, als ich vor dem Wunsche, endlich einmal *Italien*, das gelobte Land der Kunst, zu sehen, keine Ruhe finden konnte.

Bei Tage und in der Nacht denkt meine Seele nur an die schönen, hellen Gegenden, die mir in allen Träumen erscheinen und mich rufen. Wird mein Wunsch, meine Sehnsucht immer vergebens sein? So mancher reist hin und kommt zurück und weiß dann nicht wo er gewesen ist und was er gesehen hat, denn keiner liebt so innig das Land mit seiner einheimischen Kunst.
Warum liegt es so fern von mir, daß es mein Fuß nicht in einigen Tagereisen erreichen kann? daß ich dann vor den unsterblichen Werken der großen Künstler niederknie und ihnen alle meine Bewunderung und Liebe bekenne? daß ihre Geister es hören und mich als den getreusten Schüler bewillkommnen? –
Wenn zufällig von meinen Freunden die Landkarte aufgeschlagen wird, muß ich sie immer mit Rührung betrachten; ich durchwandre mit meinem Geiste Städte, Flecken und Dörfer – ach! und fühle nur zu bald, daß alles nur Einbildung sei.
Wünsch ich mir doch kein glänzendes Glück dieser Erde; aber soll es mir auch nicht einmal vergönnt sein, dir, o heilige Kunst, ganz zu leben?

Soll ich in mir selbst verschmachten
  Und in Liebe ganz vergehn?
Wird das Schicksal mein nicht achten,
Dieses Sinnen, dieses Trachten
  Stets mit Mißvergnügen sehn?

Bin ich denn so ganz verloren,
Den Verstoßnen zugeweiht?
O beglückt, wer auserkoren,
Für die Künste nur geboren,
Ihnen Herz und Leben weiht!

Ach mein Glück liegt wohl noch ferne,
Kommt noch lange mir nicht nah!
Freilich zweifelt' ich so gerne –
Doch noch oft drehn sich die Sterne –
Endlich, endlich ist es da!

Dann ohne Säumen,
Nach langen Träumen,
Nach tiefer Ruh',
Durch Wies' und Wälder,
Durch blühnde Felder
Der Heimat zu!

Mir dann entgegen
Fliegen mit Segen
Genien, bekränzt,
Strahlenumglänzt!
Sie führen den Müden
Dem süßen Frieden,
Den Freuden, der Ruh',
Der Kunstheimat zu!

Der merkwürdige Tod des zu seiner Zeit weitberühmten Malers Francesco Francia, des Ersten aus der Lombardischen Schule

So wie die Epoche des Wiederauflebens der Wissenschaften und der Gelehrsamkeit die vielumfassendsten, als Menschen merkwürdigsten und am Geiste kräftigsten gelehrten Männer hervorbrachte; so ward auch die Periode, da die Kunst der Malerei aus ihrer lange ruhenden Asche wie ein Phönix hervorging, durch die erhabensten und edelsten Männer in der Kunst bezeichnet. Sie ist als das wahre *Heldenalter* der Kunst anzusehen, und man möchte (wie Ossian) seufzen, daß die Kraft und Größe dieser Heldenzeit nun von der Erde entflohen ist. Viele standen an vielen Orten auf und erhoben sich ganz durch eigene Stärke: ihr Leben und ihre Arbeiten hatten Gewicht und waren der Mühe wert, in ausführlichen Chroniken, wie wir sie noch von den Händen damaliger Verehrer der Kunst besitzen, der Nachwelt aufbewahrt zu werden; und ihr Geist war so ehrwürdig, als es uns noch ihre bärtigen Häupter sind, die wir in den schätzbaren Sammlungen ihrer Bildnisse mit Ehrfurcht betrachten. Es geschahen unter ihnen ungewöhnliche und vielen jetzt unglaubliche Dinge, weil der Enthusiasmus, der itzt nur in wenigen einzelnen Herzen wie ein schwaches Lämpchen flimmert, in jener goldenen Zeit alle Welt entflammte. Die entartete Nachkommenschaft bezweifelt oder belacht so manche bewährte Geschichte aus diesen Zeiten als Märchen, weil der göttliche Funken ganz aus ihrer Seele gewichen ist.

Eine der merkwürdigsten Geschichten dieser Art, die ich nie ohne Staunen habe lesen können und bei der mein Herz doch nie in Versuchung zu zweifeln geführt ward, ist die Geschichte von dem Tode des uralten Malers *Francesco Francia*, welcher der Ahnherr und Stammvater der Schule war, die sich in Bologna und der Lombardei bildete.

Dieser Francesco war von geringen Handwerksleuten geboren, hatte sich aber durch seinen unermüdeten Fleiß und seinen immer hinaufstrebenden Geist zu dem höchsten Gipfel des Ruhmes aufgeschwungen. In seiner Jugend war er zuerst bei einem Goldarbeiter, und er bildete so künstliche Sachen in Gold und Silber, daß sie jeden, der sie sah, in Erstaunen setzten. Auch grub er lange Zeit die Stempel zu allen Denkmünzen, und alle Fürsten und Herzöge der Lombardei setzten eine Ehre darin, sich von seinem Griffel auf ihren Münzen abbilden zu lassen. Denn es war damals noch die Zeit, da alle Vornehmen des Landes und alle Mitbürger den vaterländischen Künstler durch ihren ewigen, lautschallenden Beifall stolz zu machen vermochten. Unendlich viele fürstliche Personen kamen durch Bologna und versäumten nicht, ihr Bildnis von Francesco zeichnen und nachher in Metall schneiden und prägen zu lassen.

Aber Francescos ewig beweglicher, feuriger Geist strebte nach einem neuen Felde der Arbeit, und je mehr seine heiße Ehrbegier gesättigt ward, desto ungeduldiger ward er, sich eine ganz neue, noch unbetretene Bahn zum Ruhme aufzuschließen. Schon vierzig Jahre alt, trat er in die Schranken einer neuen Kunst; er übte sich mit unbezwinglicher Geduld im Pinsel und richtete sein ganzes Nachdenken auf das Studium der Komposition im großen und des Effektes der Farben. Und es war außerordentlich, wie schnell es ihm gelang, Werke hervorzubringen, die ganz Bologna in Verwunderung setzten. Er war in der Tat ein vorzüglicher Maler; denn wenn er auch mehrere Mitstreiter hatte und selbst der göttliche *Raffael* zu der Zeit in Rom arbeitete, so konnte man immer mit Recht auch seine Werke zu den vornehmsten rechnen. Denn allerdings ist die Schönheit in der Kunst nicht etwas so Armes und Dürftiges, daß *eines* Menschen Leben sie erschöpfen könnte; und ihr Preis ist kein Los, das nur allein auf *einen* Auserwählten fällt: ihr Licht zerspaltet sich vielmehr in tausend Strahlen, deren Widerschein auf mannigfache Weise von den großen Künstlern, die der Himmel auf die Welt gesetzt hat, in unser entzücktes Auge zurückgeworfen wird.

Francesco lebte grade unter der ersten Generation der

edlen italienischen Künstler, welche um so größere und allgemeinere Achtung genossen, da sie auf den Trümmern der Barbarei ein ganz neues, glänzendes Reich stifteten; und in der Lombardei war grade *er* der Stifter und gleichsam der erste Fürst dieser neugegründeten Herrschaft. Seine geschickte Hand vollendete eine unzählbare Menge von herrlichen Gemälden, die nicht nur durch die ganze Lombardei (in welcher keine Stadt von sich nachsagen lassen wollte, daß sie nicht wenigstens *eine* Probe seiner Arbeit besäße), sondern auch in die andern Gegenden von Italien gingen und allen Augen, die so glücklich waren, sie zu betrachten, seinen Ruhm laut verkündigten. Die italienischen Fürsten und Herzöge waren eifersüchtig, Bilder von ihm zu besitzen; und von allen Seiten strömten ihm Lobsprüche zu. Reisende verpflanzten seinen Namen allerorten, wo sie hingelangten, und der schmeichelhafte Widerhall ihrer Reden tönte in sein Ohr zurück. Bologneser, die Rom besuchten, priesen ihren vaterländischen Künstler dem Raffael, und dieser, der auch einiges von seinem Pinsel gesehen und bewundert hatte, bezeugte ihm in Briefen, mit der ihm eigentümlichen sanften Leutseligkeit, seine Achtung und Zuneigung. Die Schriftsteller der Zeit konnten sich nicht enthalten, sein Lob in alle ihre Werke einzuflechten; sie richten die Augen der Nachwelt auf ihn und erzählen mit wichtiger Miene, daß er wie ein Gott verehrt sei. Einer von ihnen* sogar ist kühn genug, zu schreiben, daß Raffael, auf den Anblick seiner Madonnen, die Trockenheit, die ihm noch von der Schule von Perugia angeklebt, verlassen, und einen größeren Stil angenommen habe.

Was konnten diese wiederholten Schläge anders für eine Wirkung auf das Gemüt unsers Francesco haben, als daß sein lebhafter Geist sich zu dem edelsten

* Cavazzone.

Künstlerstolze emporhob und er an einen himmlischen Genius in seinem Inneren zu glauben anfing. Wo findet man jetzt diesen erhabenen Stolz? Vergebens sucht man ihn unter den Künstlern unsrer Zeiten, welche wohl *auf sich eitel*, aber nicht *stolz auf ihre Kunst* sind.

Raffael war der einzige, den er von allen ihm gleichzeitigen Malern allenfalls für seinen Nebenbuhler gelten ließ. Er war indes nie so glücklich gewesen, ein Bild von seiner Hand zu sehen, denn er war in seinem Leben nie weit von Bologna gekommen. Doch hatte er, nach vielen Beschreibungen, sich in der Idee von der Manier des Raffaels ein festes Bild gemacht und sich, besonders auch durch dessen bescheidenen und sehr gefälligen Ton gegen ihn in seinen Briefen, fest überzeugt, daß er selber ihm in den meisten Stücken gleichkomme und es in manchen wohl noch weiter gebracht habe. Seinem hohen Alter war es vorbehalten, mit seinen eigenen Augen ein Bild von Raffael zu sehen.

Ganz unerwartet empfing er einen Brief von ihm, worin jener ihm die Nachricht erteilte, er habe eben ein Altargemälde von der heiligen Cäcilia vollendet, welches für die Kirche des heiligen Johannes zu Bologna bestimmt sei; und dabei schrieb er, er werde das Stück an ihn, als seinen Freund, senden, und bat, daß er ihm den Gefallen erzeigen möchte, es auf seiner Stelle gehörig aufrichten zu lassen, auch, wenn es auf der Reise irgendwo beschädigt sei oder er sonst im Bilde selbst irgendein Versehen oder einen Fehler wahrnähme, überall als Freund zu bessern und nachzuhelfen. Dieser Brief, worin ein *Raffael* demütig ihm den Pinsel in die Hände gab, setzte ihn außer sich selbst, und er konnte die Ankunft des Bildes nicht erwarten. Er wußte nicht, was ihm bevorstand!

Einst, als er von einem Ausgange nach Hause kam, eilten seine Schüler ihm entgegen und erzählten ihm mit großer Freude, das Gemälde von Raffael sei indes angekommen und sie hätten es in seinem Arbeitszimmer schon in das schönste Licht gestellt. Francesco stürzte, außer sich, hinein. –

Aber wie soll ich der heutigen Welt die Empfindungen schildern, die der außerordentliche Mann beim Anblick dieses Bildes sein Inneres zerreißen fühlte. Es war ihm, wie einem sein müßte, der voll Entzücken seinen von Kindheit an von ihm entfernten Bruder umarmen wollte und statt dessen auf einmal einen Engel des Lichts vor seinen Augen erblickte. Sein Inneres war durchbohrt; es war ihm, als sänke er in voller Zerknirschung des Herzens vor einem höheren Wesen in die Knie.

Vom Donner gerührt stand er da; und seine Schüler drängten sich um den alten Mann herum und hielten ihn, fragten ihn, was ihn befallen habe? und wußten nicht, was sie denken sollten.

Er hatte sich etwas erholt und starrte immerfort das über alles göttliche Bild an. Wie war er auf einmal von seiner Höhe gefallen! Wie schwer mußte er die Sünde büßen, sich allzu vermessen bis an die Sterne erhoben und sich ehrsüchtig über *ihn*, den unnachahmlichen Raffael, gesetzt zu haben. Er schlug sich vor seinen grauen Kopf und weinte bittere, schmerzende Tränen, daß er sein Leben mit eitelm, ehrgeizigen Schweiße verbracht und sich dabei nur immer törichter gemacht habe und nun endlich, dem Tode nahe, mit geöffneten Augen auf sein ganzes Leben als auf ein elendes, unvollendetes Stümperwerk zurücksehen müsse. Er hob mit dem erhobenen Antlitz der heiligen Cäcilia auch seine Blicke empor, zeigte dem Himmel sein wundes, reuiges Herz und betete gedemütigt um Vergebung.

Er fühlte sich so schwach, daß seine Schüler ihn ins Bett bringen mußten. Beim Herausgehen aus dem Zimmer fielen ihm einige seiner Gemälde und beson-

ders seine sterbende Cäcilia, welche noch dort hing, in die Augen; und er verging fast vor Schmerz.
Von der Zeit an war sein Gemüt in beständiger Verwirrung, und man bemerkte fast immer eine gewisse Abwesenheit des Geistes bei ihm. Die Schwächen des Alters und die Ermattung des Geistes, welcher so lange in immer angestrengter Tätigkeit bei der Schöpfung von so tausenderlei Gestalten gewesen war, traten hinzu, um das Haus seiner Seele von Grund aus zu erschüttern. Alle die unendlich mannigfaltigen Bildungen, die sich von jeher in seinem malerischen Sinn bewegt hatten und in Farben und Linien auf der Leinwand zur Wirklichkeit übergegangen waren, fuhren jetzt mit verzerrten Zügen durch seine Seele und waren die Plagegeister, die ihn in seiner Fieberhitze ängstigten. Ehe seine Schüler es sich versahen, fanden sie ihn tot im Bette liegen. –
So ward dieser Mann erst dadurch recht *groß*, daß er sich so klein gegen den himmlischen Raffael fühlte. Auch hat ihn der Genius der Kunst in den Augen der Eingeweihten längst heiliggesprochen und sein Haupt mit dem Strahlenkreise umgeben, der ihm als einem echten Märtyrer des Kunstenthusiasmus gebührt. –
Die obige Erzählung von dem Tode des Francesco Francia hat uns der alte *Vasari* überliefert, in welchem der Geist der Urväter der Kunst noch wehte.
Diejenigen kritischen Köpfe, welche an alle außerordentliche Geister, als an übernatürliche Wunderwerke, nicht glauben wollen noch können und die ganze Welt gern in Prosa auflösen möchten, spotten über die Märchen des alten ehrwürdigen Chronisten der Kunst und erzählen dreist, Francesco Francia sei an Gift gestorben.

Der Schüler und Raffael

Zu jener Zeit, als die bewundernde Welt noch *Raffael* unter sich leben sah – dessen Name nicht leicht über meine Lippen geht, ohne daß ich ihn unwillkürlich den Göttlichen nenne – zu jener Zeit – o wie gern gäb' ich alle Klugheit und Weisheit der spätern Jahrhunderte hin, um in jenem gewesen zu sein! – lebte in einem kleinen Städtchen des florentinischen Gebiets ein junger Mensch, den wir *Antonio* nennen wollen, welcher sich in der Malerkunst übte. Er hatte von Kindheit auf einen recht eifrigen Trieb zur Malerei und zeichnete als Knabe schon alle Heiligenbilder emsig nach, die ihm in die Hände fielen. Aber bei aller Stetigkeit seines Eifers und seiner recht eisernen Begier, irgend etwas Vortreffliches hervorzubringen, besaß er zugleich eine gewisse Blödigkeit und Eingeschränktheit des Geistes, bei welcher die Pflanze der Kunst immer einen unterdrückten und gebrechlichen Wuchs behält und nie frei und gesund zum Himmel emporschießen kann: eine unglückliche Konstellation der Gemütskräfte, welche schon manche Halbkünstler auf die Welt gesetzt hat.

Antonio hatte sich schon nach verschiedenen Meistern seiner Zeit geübt, und es war ihm so weit gelungen, daß ihm selber die Ähnlichkeit seiner Nachahmungen ungemeines Vergnügen machte und er über seine allmählichen Fortschritte sehr genaue Rechnung hielt. Endlich sah er einige Zeichnungen und Gemälde Raffaels; er hatte seinen Namen schon oft mit großen Lobeserhebungen aussprechen hören, und er schickte sich den Augenblick an, nach den Werken dieses hochgepriesenen Mannes zu arbeiten. Als er aber mit seinen Kopien gar nicht zustande kommen konnte und nicht wußte, woran es lag, legte er ungeduldig den Pinsel aus der Hand, besann sich, was er tun wollte, und setzte endlich folgendes Schreiben auf:

»An den allervortrefflichsten Maler,
Raffael von Urbino.

Vergebt mir, daß ich nicht weiß, wie ich Euch anreden soll, denn Ihr seid ein unbegreiflicher und außerordentlicher Mann; und ich bin überdies gar nicht geübt, die Feder zu führen. Ich habe auch lange bei mir überlegt, ob es wohl schicklich sei, daß ich Euch schriebe, ohne Euch von Person jemals gesehn zu haben. Aber da man ja überall von Eurer leutseligen und freundlichen Gemütsart reden hört, so habe ich mich es endlich unterstanden.
Doch ich will Euch Eure kostbare Zeit nicht mit vielen Worten rauben, denn ich kann mir denken, wie fleißig Ihr sein müßt; sondern ich will nur gleich mein Herz vor Euch aufschließen und Euch meine Bitte recht angelegentlich vortragen.
Ich bin ein junger Anfänger in der vortrefflichen Malerkunst, welche ich über alles liebe und welche mein ganzes Herz erfreut, so daß ich fast nicht glauben kann, daß, wenn ich (wie es natürlich ist) Euch und andre berühmte Meister dieser Zeiten ausnehme, irgend jemand anders solche innerliche Liebe und so einen unaufhörlichen Drang zu der Kunst trüge. Ich bestrebe mich aufs allerbeste, dem Ziel, das ich in der Entfernung vor mir sehe, immer ein wenig näher zu rücken; ich bin keinen Tag, ja ich möchte beinahe sagen, keine Stunde müßig; und ich merke, daß ich jeden Tag, so wenig es auch sein mag, weiterkomme. Nun habe ich mich schon nach vielen unsrer heutigestages berühmten Männer wohl geübt; aber da ich angefangen habe, *Eure* Arbeiten nachzumalen, ist es mir gewesen, als wenn ich gar nichts wüßte und noch einmal von vorn anfangen sollte. Ich habe doch schon so

manchen Kopf auf der Tafel zustande gebracht, woran weder in den Umrissen noch in den Lichtern und Schatten etwas Falsches oder Unrechtliches gefunden werden mochte; aber wenn ich die Köpfe Eurer Apostel und Jünger Christi sowie Eurer Madonnen und Christkindlein auch Zug für Zug auf meine Tafel übertrage, mit solcher Pünktlichkeit, daß mir die Augen brechen möchten – und ich denn das Ganze übersehe und es mit dem Original vergleiche, so bin ich erschrocken, daß es himmelweit davon entfernt und ein ganz anderes Gesicht ist. Und doch sehen Eure Köpfe, wenn man sie zum erstenmal betrachtet, beinahe leichter aus als andre; denn sie haben ein gar zu natürliches Ansehen, und es ist, als wenn man darin die Personen, die es sein sollen, gleich erkennte und als wenn man sie schon lebendig gesehen hätte. Auch finde ich bei Euch nicht eben solche schwere und außerordentliche Verkürzungen der Glieder, womit wohl andre Meister heutigestages die Vollkommenheit ihrer Kunst zu zeigen und uns arme Schüler zu quälen pflegen.
Darum, soviel ich auch immer nachgegrübelt habe, weiß ich mir doch durchaus das Besondere nicht zu erklären, was Eure Bilder an sich haben, und kann gar nicht ergründen, worin es eigentlich liegt, daß man Euch nicht recht nachahmen und Euch nie ganz und gar erreichen kann. O leistet mir hierin Euren Beistand – ich bitte Euch dringend und flehentlich darum; und sagt mir (denn Ihr könnt es gewiß am besten), was ich tun muß, um Euch nur einigermaßen ähnlich zu werden. O wie tief will ich mir das einprägen! wie eifrig will ich es befolgen! – Ich bin – vergebt mir – manchmal wohl gar darauf gefallen, Ihr müßtet irgendein Geheimnis bei Eurer Arbeit besitzen, wovon sich kein anderer Mensch einen Begriff machen könnte. Gar zu gern möchte ich Euch nur einen halben Tag lang bei der Arbeit zusehen; doch Ihr laßt vielleicht keinen dazu. Oder, wenn ich ein großer Herr wäre,

würde ich Euch tausend und tausend Goldstücke für Euer Geheimnis anbieten.
Ach habt Nachsicht mit mir, daß ich mich unterstehe, so vielerlei vor Euch zu schwatzen. Ihr seid ein außerordentlicher Mann, der wohl auf alle andre Menschen mit Verachtung heruntersehen muß.
Ihr arbeitet wohl Tag und Nacht, um so herrliche Sachen zuwege zu bringen; und in Eurer Jugend seid Ihr sicher in einem Tage so weit gekommen, als ich nicht in einem Jahre. Nun, ich will doch auch inskünftige meine Kräfte anstrengen, soviel ich nur immer vermögend bin.
Andere, die heller sehen als ich, loben ja auch den Ausdruck in Euren Bildern über alles und wollen behaupten, daß niemand so gut wie Ihr gleichsam die Beschaffenheit des Gemüts in den Personen vorzustellen wisse, so daß man aus ihren Mienen und Gebärden sozusagen ihre Gedanken erraten könnte. Doch auf diese Sachen verstehe ich mich nur noch wenig.
Ich muß aber endlich aufhören, Euch lästig zu fallen. Ach was würde es mir für ein erquickender Trost sein, wenn Ihr auch nur mit wenigen Worten Euren Rat erteilet

Eurem

Euch über alles verehrenden
Antonio.«

So lautete Antonios Sendschreiben an Raffael; – und dieser schrieb ihm lächelnd folgende Antwort:

»Mein guter Antonio,

Es ist schön, daß du so große Liebe zu der Kunst trägst, und Dich so fleißig übest; Du hast mich sehr damit erfreut. Aber was Du von mir zu wissen verlangst, kann ich Dir leider nicht sagen; nicht, weil es ein Geheimnis, das ich nicht verraten wollte – denn

ich wollte es Dir und einem jeden von Grunde des Herzens gern mitteilen –, sondern weil es mir selber unbekannt ist.
Ich sehe Dir an, daß Du mir das nicht glauben willst; und doch ist es so. So wenig als einer Rechenschaft geben kann, woher er eine rauhe oder eine liebliche Stimme habe, so wenig kann ich Dir sagen, warum die Bilder unter meiner Hand grade eine solche und keine andere Gestalt annehmen.
Die Welt sucht viel Besonderes in meinen Bildern; und wenn man mich auf dies und jenes Gute darin aufmerksam macht, so muß ich manchmal selber mein Werk mit Lächeln betrachten, daß es so wohl gelungen ist. Aber es ist wie in einem angenehmen Traum vollendet, und ich habe während der Arbeit immer mehr an den Gegenstand gedacht als daran, wie ich ihn vorstellen möchte.
Wenn Du das, was Du etwa an meinen Arbeiten Eigentümliches findest, nicht recht begreifen und nachahmen kannst, so rate ich Dir, lieber Antonio, Dir sonst einen oder den andern der mit Recht berühmten Meister jetziger Zeiten zum Muster zu erwählen; denn ein jeder hat etwas Nachahmungswürdiges, und ich habe mich mit Nutzen nach ihnen gebildet und nähre mein Auge noch immer mit ihren mannigfachen Vorzüglichkeiten. Daß ich nun jetzt aber gerade diese und keine andre Art zu malen habe, wie denn ein jeder seine eigene zu haben pflegt, das scheint meiner Natur von jeher schon so eingepflanzet; ich habe es nicht durch sauren Schweiß errungen, und es läßt sich nicht mit Vorsatz auf so etwas studieren. Fahre indessen fort, Dich mit Liebe in der Kunst zu üben, und lebe wohl.«

Ein Brief des jungen florentinischen Malers Antonio an seinen Freund Jacobo in Rom

Geliebter Bruder,

wundre Dich nicht, daß ich Dir so lange nicht geschrieben, denn allerhand Beschäftigungen haben mir meine Zeit unglaublich verkürzt. Aber jetzt will ich Dir öfter schreiben, weil ich Dir als meinem liebsten Freunde meine Gedanken und Empfindungen mitzuteilen wünsche. Du kennst meine Klagen, daß ich mich sonst immer als ein ganz unwürdiger, verlorner Schüler der edlen Malerkunst fühlte; jetzt aber hat meine Seele einen wunderbaren, unbegreiflichen Schwung erhalten, so daß ich freier und dreister Atem hole und nicht mehr mit so demutsvollem Erröten vor den Bildern der großen Meister dastehe.

Und wie soll ich Dir nun schildern, wie und wodurch sich dieses ereignet hat? Der Mensch ist sehr arm, lieber Jacobo; denn wenn er auch einen recht kostbaren Schatz im Busen trägt, so muß er ihn wie ein Geiziger verschließen und kann seinem Freunde nichts davon mitteilen oder zeigen. Tränen, Seufzer, ein Händedruck sind dann unsre ganze Sprache. So ist es jetzt mit mir, und darum möcht' ich Dich jetzt vor mir haben, um Deine liebe Hand zu nehmen und sie auf mein pochendes Herz zu legen. – Ich weiß nicht, ob andre Menschen schon so empfunden haben wie ich – ob es schon andern gegönnt war, durch die Liebe einen so schönen Weg zur Anbetung der Kunst zu finden. Denn wenn ein Wort meine Gefühle ausdrücken soll, so muß es Liebe sein, die jetzt mein Herz und meinen Geist regiert.

Es ist mir zumute, als wenn ein Vorhang von meinem Leben hinweggezogen wäre und ich nun erst das zu sehn bekäme, was die Menschen immer die Natur und

die Schönheit der Welt nennen. Alle Berge, alle Wolken, der Himmel und sein Abendrot sind jetzt anders und näher zu mir herabgezogen; mit Liebe und unaussprechlicher Sehnsucht möcht' ich jetzt Raffael umfangen, der nun unter den Engeln wohnt, weil er für uns und diese Erde zu gut und zu erhaben war: heiße Tränen der Begeisterung, der reinsten Ehrfurcht treten in mein irdisches Auge und machen meinen Sinn himmlischtrunken, wenn ich jetzt vor seinen Werken stehe, und sie mir tief in Sinn und Herz einpräge. Ich kann nun wohl sagen, daß ich nun erst fühle, was die Kunst von allem übrigen Treiben und Arbeiten der sterblichen Menschen unterscheidet; ich bin reiner und heiliger geworden, und darum bin ich nun erst zu den heiligen Altären gelassen. Wie bet ich jetzt die Mutter Gottes und die erhabenen Apostel in jenen begeisterten Bildern an, die ich sonst nur mit kaltem Auge und halbgeübtem Pinsel Zug für Zug nachzeichnen wollte: – jetzt stehn mir die Tränen in den Augen, meine Hand zittert, mein innerstes Herz ist bewegt, so daß ich (möcht' ich sagen) fast ohne Bewußtsein die Farben auf die Leinwand trage, und dennoch gerät es mir so, daß ich hernach damit zufrieden bin. O wenn doch jetzt Raffael noch lebte, daß ich ihn sehn, ihn sprechen, ihm meine Gefühle sagen könnte! Er muß sie gekannt haben, denn ich finde sie, ich finde mein ganzes Herz in seinen Werken wieder: alle seine Madonnen sehn meiner geliebten Amalia ähnlich.
Auch fall ich jetzt von selbst auf große und recht dreiste Erfindungen: ich habe schon einiges angefangen, und in manchen Stunden, wenn ich von der Mahlzeit aufstehe oder eben ein gleichgültiges Gespräch geführt habe, erstaune ich selbst vor meinem verwegenen Unternehmen. Aber innerlich treibt mich dann mein Genius wieder an, so daß ich bei alledem nicht den Mut verliere.
Wie unähnlich die zugeschlossene Knospe der präch-

tigen Lilie ist, die wie ein großer silberner Stern auf ihrem dunkeln Stengel nach der Sonne blickt: so unähnlich bin ich mir selbst, gegen meinen vormaligen Zustand. Ich will noch vieles und mit unermüdeten Kräften arbeiten.
Wenn ich schlafe, ist der Name Amalie wie ein goldenes, schützendes Zelt über mir ausgespannt. Oft wache ich auf, weil ich diesen Namen mit süßem Klange aussprechen höre, als wenn mich eines von den Raffaelschen Engelskindern neckend und liebkosend riefe. Rieselnde Töne schütten dann nach und nach die Lücke wieder zu, und holdselige Träume lassen sich wieder mit leisen Flügeln auf meine Augen herab. – Ach, Jacobo, glaube mir, jetzt bin ich erst recht Dein Freund, aber spotte nicht über

Deinen

glücklichen Antonio.

Jacobos Antwort

Dein lieber Brief, mein sehr teurer Antonio, hat eine freudige Rührung in mir verursacht. Ich brauche Dir nicht Glück zu wünschen, denn Du bist jetzt wahrhaft glücklich, und es sei ferne von mir, daß ich über Dich spotten könnte, denn dann verdiente ich nicht die Gnade des Himmels, der mich zum Werkzeug seiner Verherrlichung, zum Künstler auserkoren.
Ich begreife recht gut Deinen Trieb zur Arbeit und Deine stets rege Erfindsamkeit. Ich lobe, ja ich beneide Dich; aber Du wirst es mir nicht übel deuten, wenn ich außerdem noch einige Worte hinzufüge: denn da ich so manches Jahr, so manche Erfahrung vor Dir voraus habe, möchte ich dadurch vielleicht ein Recht zum Reden haben.
Was Du mir da von der Kunst schreibst, will mir nicht so durchaus gefallen. Schon mancher ist Dei-

nen Weg gegangen, aber ich glaube nicht, daß der große Künstler da stehnbleiben muß, wo Du jetzt stehst. Die Liebe eröffnet uns freilich die Augen über uns selber und über die Welt, die Seele wird stiller und andächtiger, und aus allen Winkeln des Herzens brechen tausend glimmende Empfindungen in hellen Flammen hervor: man lernt dann die Religion und die Wunder des Himmels begreifen, der Geist wird demütiger und stolzer, und die Kunst redet uns besonders mit allen ihren Tönen bis in das innerste Herz hinein. Aber nun kömmt der Künstler gar zu leicht in Gefahr, *sich* in jedem Kunstwerke zu suchen, alle seine Empfindungen werden nach *einer* Richtung hinausschweifen, und so opfert er denn sein mannigfaltiges Talent einem einzigen Gefühle auf. Hüte Dich davor, lieber Antonio, weil Du sonst zur engsten und am Ende unbedeutendsten Manier geführt werden kannst. Jedes schöne Werk muß der Künstler in sich schon antreffen, aber nicht sich mühsam darin aufsuchen; die Kunst muß seine höhere Geliebte sein, denn sie ist himmlischen Ursprungs; gleich nach der Religion muß sie ihm teuer sein; sie muß eine religiöse Liebe werden oder eine geliebte Religion, wenn ich mich so ausdrücken darf: – nach dieser darf dann wohl die irdische Liebe folgen. Dann weht ein herrlicher, labender Wind alle Empfindungen, alle schöne Blumen in dieses eroberte Land hinein, das mit Morgenrot überzogen und von heiliger Wonne durchklungen ist.
Deute mir diese meine Worte nicht übel, mein ungemein geliebter Antonio: meine Verehrung der Kunst spricht so aus mir, und so wirst Du denn alles zum besten auslegen. – Lebe wohl.

Das Muster eines kunstreichen und dabei tiefgelehrten Malers, vorgestellt in dem Leben des Leonardo da Vinci, berühmten Stammvaters der Florentinischen Schule

Das Zeitalter der Wiederaufstehung der Malerkunst in Italien hat Männer ans Licht gebracht, zu denen die heutige Welt billig wie zu Heiligen in der Glorie hinaufsehen sollte. Von ihnen möchte man sagen, daß *sie* zuerst die wilde Natur durch ihre Zauberkünste bezwungen und gleichsam beschworen – oder auch, daß *sie* zuerst aus der verworrenen Schöpfung den Funken der Kunst herausgeschlagen hätten. Ein jeder von diesen prangte mit eigenen, namhaften Vollkommenheiten, und es sind im Tempel der Kunst für viele von ihnen Altäre errichtet.

Ich habe mir aus diesen für jetzt den berühmten Stammvater der Florentinischen Schule, den nie genug gepriesenen *Leonardo da Vinci* auserwählt, um ihn, wem daran gelegen ist, als das Muster in einem wahrhaft gelehrten und gründlichen Studium der Kunst und als das Bild eines unermüdlichen und dabei geistreichen Fleißes darzustellen. An ihm mögen die lehrbegierigen Jünger der Kunst ersehen, daß es nicht damit getan sei, zu einer Fahne zu schwören, nur ihre Hand in gelenkiger Führung des Pinsels zu üben und mit einem leichten und flüchtigen Afterenthusiasmus ausgerüstet gegen das tiefsinnige und auf das wahre Fundament gerichtete Studium zu Felde zu ziehen. Ein solches Beispiel wird sie belehren, daß der Genius der Kunst sich nicht unwillig mit der ernsthaften Minerva zusammen paart; und daß in einer großen und offenen Seele, wenn sie auch auf *ein* Hauptbestreben gerichtet ist, doch das ganze, vielfach zusammengesetzte Bild menschlicher Wissenschaft sich in schöner und vollkommener Harmonie abspiegelt. –

Der Mann, von dem wir reden, erblickte das Licht der Welt in dem Flecken Vinci, welcher unten im Arnotale, unweit der prächtigen Stadt Florenz, belegen ist. Seine Geschicklichkeit und sein Witz, die er von der Natur zum Erbteil bekommen hatte, verrieten sich, wie es bei solchen auserlesenen Geistern zu geschehen pflegt, schon in seiner zarten Jugend und sahen durch die bunten Figuren, die seine kindische Hand spielend herausbrachte, deutlich hervor. Dies ist wie das erste Sprudeln einer kleinen, muntern Quelle, welche nachher zum mächtigen und bewunderten Strome wird. Wer es kennt, hält das Gewässer in seinem Laufe nicht zurück, weil es sonst durch Wall und Dämme bricht; sondern läßt ihm seinen freien Willen. So tat Leonardos Vater, indem er den Knaben seiner ihm von Natur eingepflanzten Neigung überließ und ihn der Lehre des sehr berühmten und verdienten Mannes *Andrea Verocchio* zu Florenz übergab.

Aber ach! wer kennt und wer nennt unter uns noch diese Namen, die damals wie funkelnde Sterne am Himmel glänzten? Sie sind untergegangen, und es wird nichts mehr von ihnen gehört – man weiß nicht, ob sie jemals waren.

Und dieser Andrea Verocchio war keiner der gemeinsten. Er war dem heiligen Trifolium aller bildenden Künste, der Maler-, Bildner- und Baukunst, ergeben – wie es denn dazumal nichts Ungewöhnliches war, daß für eine solche dreifache Liebe und Fähigkeit *eines* Menschen Geist Raum genug hatte. Außerdem aber war er in den mathematischen Erkenntnissen bewandert und auch ein eifriger Freund der Musik. Es mag wohl sein, daß dessen Vorbild, welches sich früh in die weiche Seele Leonardos eindrückte, viel auf ihn gewirkt hat; indes mußten die Keime doch auf dem Grunde seiner Seele liegen. Aber wer mag überhaupt bei der Geschichte der Ausbildung eines fremden Geistes alle die feinen Fäden zwischen Ursachen und Wirkungen auffinden, da die Seele während ihrer Handlungen sich dieses Zusammenhanges selbst nicht einmal immer bewußt ist.

Zu Erlernung jeder bildenden Kunst, selbst wenn sie ernsthafte oder trübselige Dinge abschildern soll, gehört ein lebendiges und aufgewecktes Gemüt; denn es soll ja durch allmähliche mühsame Arbeit endlich ein vollkommenes Werk, zum Wohlgefallen aller Sinne, hervorgebracht werden, und traurige und in sich verschlossene Gemüter haben keinen Hang, keine Lust, keinen Mut und keine Stetigkeit hervorzubringen. Solch ein aufgewecktes Gemüt besaß der Jüngling Leonardo da Vinci; und er übte sich nicht nur mit Eifer im Zeichnen und im Setzen der Farben, sondern auch in der Bildhauerei, und zur Erholung spielte er auf der Geige und sang artige Lieder. Wohin also sein vielbefassender Geist sich auch wandte, so ward er immer von den Musen und Grazien, als ihr Liebling, in ihrer Atmosphäre schwebend getragen und berührte nie, auch in den Stunden der Erholung nicht, den Boden des alltäglichen Lebens. Von allen Beschäftigungen aber lag die Malerei ihm zunächst am Herzen; und zu seines Lehrers Beschämung brachte er es darin nach kurzer Zeit so weit, daß er ihn selbst übertraf. Ein Beweis, daß die Kunst sich eigentlich nicht lernt und nicht gelehrt wird, sondern daß ihr Strom, wenn er nur auf eine kurze Strecke geführt und gerichtet ist, unbeherrscht aus eigener Seele quillt.

Da seine Einbildung so fruchtbar und reich an allerlei bedeutenden und sprechenden Bildern war, so zeigte sich in seiner lebhaften Jugend, wo alle Kräfte sich mit Gewalt in ihm hervordrängten, sein Geist nicht in gewöhnlichen, unschmackhaften Nachahmungen, sondern in außerordentlichen, reichen, ja fast ausschweifenden und seltsamen Vorstellungen. So malte er einst unsre ersten Voreltern im Paradiese, welches er durch alle mögliche Arten wunderbarer und fremdgestalteter Tiere und durch eine unendliche, mühsame Verschiedenheit der Pflanzen und Bäume so bereicherte und ausschmückte, daß man über die Mannigfaltigkeit erstaunen mußte und seine Augen nicht von dem Bilde abziehen konnte. Noch wunderbarer war der Medusenkopf, den er einst auf ein hölzernes Schild für einen Bauern malte: er setzte ihn aus den Gliedern aller nur ersinnlichen häßlichen Gewürme und greulicher Untiere zusammen, so daß man gar nichts Erschrecklicheres sehen mochte. Die Erfahrenheit der Jahre ordnete nachher diesen wilden, üppigen Reichtum in seinem Geiste.

Aber ich will zur Hauptsache eilen und versuchen, ob ich eine Abschilderung von dem vielumfassenden Eifer dieses Mannes geben kann.

In der Malerei trachtete er mit unermüdlicher Begier nach immer höheren Vollkommenheiten, und nicht in *einer*, sondern in *allen* Arten; und mit dem Studium der Geheimnisse des Pinsels verband er die fleißigste *Beobachtung*, die, als sein Genius, ihn durch alle Szenen des gewöhnlichen Lebens leitete und ihn auf allen seinen Wegen, wo andre es nicht ahndeten, die schönsten Früchte für sein Lieblingsfach einsammeln ließ. Also war er selber das größeste Beispiel zu den Lehren, die er in seinem vortrefflichen Werke von der Malerei erteilt, daß nämlich ein Maler sich *allgemein* machen solle und nicht alle Dinge nach einem einzigen angewöhnten Handgriff, sondern ein jedes nach seiner besonderen Eigentümlichkeit darstellen müsse; – und denn, daß man sich nicht an einen Meister hängen, sondern selbst frei die Natur in allem ihren Wesen erforschen solle, indem man sonst ein Enkel, nicht aber ein Sohn der Natur genannt zu werden verdiene.

Aus ebendieser Schrift, der einzigen unter seinen gelehrten Arbeiten, die zu den Augen der Welt gelangt

ist und die man mit Recht das goldene Buch des Leonardo nennen könnte, wird uns offenbar, wie tiefsinnig er immer die Lehren und Regeln der Kunst mit dem Ausüben derselben verknüpfte. Die Beschaffenheit des menschlichen Körpers hatte er in allen nur ersinnlichen Wendungen und Stellungen bis auf das kleinste so in seiner Gewalt, als wenn er ihn selber geschaffen hätte; und immer ging er geradezu auf den bestimmten Sinn und die körperliche sowohl als geistige Bedeutung los, die in jeder Figur liegen sollte. Denn billig muß, wie auch er selbst in seinem Buche zu verstehen gibt, ein jedes Kunstwerk eine doppelte Sprache reden, eine des Leibes und eine der Seele. An einigen Orten in seinem Buche gibt er Anleitung, wie man eine Schlacht, einen Seesturm, eine große Versammlung malen solle; und da ist seine Einbildung so tätig und wirksam, daß sie schnell die deutlichsten und sprechendsten Züge in Worten zu einem auffallenden Ganzen zusammenträgt.
Leonardo wußte, daß der Kunstgeist eine Flamme von ganz anderer Natur ist als der Enthusiasmus der Dichter. Es ist nicht darauf angesehen, etwas ganz aus eigenem Sinne zu gebären; der Kunstsinn soll vielmehr emsig außer sich herumschweifen und sich um alle Gestalten der Schöpfung mit behender Geschicklichkeit herumlegen und die Formen und Abdrücke davon in der Schatzkammer des Geistes aufbewahren; so daß der Künstler, wenn er die Hand zur Arbeit ansetzt, schon eine Welt von allen Dingen in sich finde. Leonardo ging nie, ohne seine Schreibtafeln bei sich zu tragen; sein begieriges Auge fand überall ein Opfer für seine Muse. Dann kann man sagen, daß man vom Kunstsinne ganz durchglüht und durchdrungen sei, wenn man so alles um sich her seiner Hauptneigung untertänig macht. Jeden kleinen Teil des menschlichen Körpers, der ihm an irgendeinem Vorübergehenden wohlgefiel, jede flüchtige reizende Stel-

lung und Wendung haschte er auf und trug es seinem Schatze bei. Es gefielen ihm vorzüglich wunderliche Angesichter mit besonderen Haaren und Bärten; weswegen er solchen Leuten manchmal lange nachging, daß er sie fest in seinen Sinn faßte, da er sie alsdann zu Hause so natürlich, als ob sie ihm gegenwärtig gesessen hätten, hinmalte. Auch wann zwei Personen, ohne daß sie einen Zuschauer zu haben glaubten, ganz unbefangen und ihrem Willen überlassen, miteinander sprachen oder wann ein heftiges Gezänk entstand oder ihm sonst menschliche Affekten und Gemütsbewegungen in ihrem vollen Leben und ihrer ganzen Kraft in den Weg kamen, so versäumte er niemals, sich die Umrisse und die Zusammenfügung der Teile zum Ganzen wohl zu merken. Auch betrachtete er, was manchem lächerlich vorkommen mag, oft lange und ganz in sich verloren altes Gemäuer, worauf die Zeit mit allerlei wunderbaren Figuren und Farben gespielt hatte, oder vielfarbige Steine mit irgend seltsamen Zeichnungen. Daraus sprang ihm dann während des unverrückten Anschauens manche schöne Idee von Landschaften oder Schlachtgewimmel oder fremden Stellungen und Gesichtern hervor. Darum gibt er auch in seinem Buche selbst die Regel, dergleichen zur Ergetzung fleißig zu betrachten, weil der Geist durch dergleichen verwirrte Dinge zu Erfindungen aufgemuntert werde. – Man sieht, wie der ungemeine und von keinem nach ihm erreichte Geist des Leonardo aus allen Dingen, auch den geringgeachtetsten und kleinsten, Gold zu ziehen wußte.

In der *Wissenschaft* seiner Kunst war vielleicht nie ein Maler erfahrner und gelehrter als er. Die Kenntnis der inneren Teile des menschlichen Körpers und des ganzen Räder- und Hebelwerks dieser Maschine – die Kenntnis des Lichts und der Farben und wie beide aufeinander wirken und sich eines mit dem andern vermählt – die Lehre von den Verhältnissen, nach

welchen die Dinge in der Entfernung kleiner und schwächer erscheinen; – alle diese Wissenschaften, welche in der Tat zu dem wahren, ursprünglichen Fundamente der Kunst gehören, hatte er bis in ihre tiefsten Abgründe durchdrungen.
Wie aber schon erwähnt ist, so war er nicht bloß ein großer Maler, sondern auch ein guter Bildhauer wie auch ein ansehnlicher Baumeister. Er war in allen Zweigen der mathematischen Wissenschaften erfahren; ein tiefer Kenner der Musik, ein angenehmer Sänger und Spieler auf der Geige und ein sinnreicher Dichter. Kurz, wenn er in den fabelhaften Zeiten gelebt hätte, so wäre er unfehlbar für einen Sohn des Apollo gehalten worden. Ja, er hatte seine Lust daran, sich in allerlei Fertigkeiten, wenn sie auch ganz außer seinem Wege lagen, hervorzutun. So war er im Reiten und Regieren der Pferde sowie auch in der Führung des Degens so wohl geübt, daß ein Unwissender hätte meinen sollen, er habe sein ganzes Leben hindurch diesem allein obgelegen. Mit wunderbaren mechanischen Kunststücken und mit den geheimen Kräften der Naturkörper war er so vertraut, daß er einst bei einer feierlichen Gelegenheit die Figur eines Löwen von Holz machte, welcher sich selbst bewegte; und ein andermal hatte er aus einem gewissen dünnen Zeuge kleine Vögel gebildet, welche von selbst frei in die Luft emporschwebten. So hatte sein Geist einen angebornen Reiz, immer etwas Neues zu ersinnen, der ihn in beständiger Tätigkeit und Anstrengung erhielt. Alle seine Talente aber wurden durch edle und einnehmende Sitten, wie Edelgesteine durch eine goldene Einfassung, erhöht. Und damit der außerordentliche Mann auch den gemeinsten und blödesten Augen hervorstechend und ausgezeichnet erscheinen möchte, so hatte die freigebige Natur ihn ausdrücklich mit einer wunderbaren Leibesstärke und zu allem dem endlich mit einer sehr ehrwürdigen Bildung und

einem Gesichte, das man lieben und verehren mußte, begabt.
Der forschende Geist der ernsthaften Wissenschaften scheinet dem bildenden Geiste der Kunst so ungleichartig, daß man fast, dem ersten Anblicke nach, zwei verschiedene Gattungen von Wesen für beide glauben möchte. Und in der Tat sind nur wenige Sterbliche so eingerichtet, daß sie diesem zwiefachen Genius opfern könnten. Welcher aber in seiner eigenen Seele die Heimat aller der Erkenntnisse und Kräfte, worin sonst *viele* sich teilen, findet und wessen Geist mit gleichem Eifer und Glücke durch Schlüsse der Vernunft Wahrheiten ausrechnet und Einbildungen seines inneren Sinnes durch Mühsamkeit der Hand in sichtbare Darstellungen hervordrängt: – ein solcher muß der ganzen Welt Erstaunen und Bewunderung abnötigen. Und wenn er überdies nicht bloß einer einzigen Kunst ergeben ist, sondern mehrere in sich vereinigt, ihre geheime Verwandtschaft fühlt und die göttliche Flamme, die in allen weht, in seinem Inneren empfindet; so ist dieser Mann von der Hand des Himmels gewiß auf eine wunderbare Weise vor andern Menschen hervorgehoben, und es werden viele mit ihren Gedanken nicht einmal an ihn heranreichen können. –
Der Hof des mailändischen Herzogs Lodovico Sforza war der Hauptschauplatz, wo Leonardo da Vinci als oberster Vorsteher der Akademie seine vielfachen Geschicklichkeiten entfaltete. Hier zeigte er sich in vortrefflichen Gemälden und Bildwerken; hier verbreitete er seinen guten Geschmack in Gebäuden; er war förmlich unter der Zahl der Tonkünstler als Spieler auf der Geige angestellt; er führte mit tiefer Einsicht den schweren Bau eines Wasserkanals über Berge und Täler – und so stellte er bloß in seiner Person fast eine ganze Akademie aller menschlichen Erkenntnisse und Fertigkeiten vor. Ehe er den Bau des Kanals übernahm, begab er sich nach Valverola, dem Landsitz

eines seiner angesehenen Freunde, und legte sich dort, unter Begünstigung der ländlichen Muse, mit großem Fleiß auf das Mathematische der Baukunst. Auf diesem stillen Landsitz brachte er nachher etliche Jahre zu, lag mit philosophischem Geiste den mathematischen und allen nur irgend zu einer gründlichen Theorie der bildenden Künste gehörigen Studien ob und verlor sich ganz in tiefsinnige Spekulationen. Das Gepräge der in sich gekehrten Weisheit trug er auch in seinem Äußeren, indem er sich Haar und Bart so lang hatte wachsen lassen, daß er das Ansehen eines Einsiedlers hatte; – wie denn einige in seinem unermüdeten Fleiß auch den Bewegungsgrund finden wollen, daß er zeitlebens unverheiratet blieb. – Während des Aufenthaltes in seiner ländlichen Einsamkeit trug er nun auch die Resultate seines Studiums, durch seinen Geist geseigert und geläutert und mit seinen eigenen sehr scharfsinnigen Gedanken und Beobachtungen versetzt, in ausführlichen Werken zusammen, welche sich, von seiner eigenen teuren Hand geschrieben, noch itzt in dem großen ambrosianischen Bücherschatze zu Mailand befinden.

Aber ach! es ist auch diese, wie so manche andre uralte, mit ehrwürdigem Staube bedeckte Handschrift in den Bücherschätzen der Großen, ein unangerührtes Heiligtum, vor welchem die unverständigen Söhne unsers Zeitalters, höchstens mit einer leeren Ehrfurchtsbezeugung, *vorübergehn*. Das Manuskript wartet noch auf denjenigen, welcher den Geist des alten Malers, der darin verzaubert schläft, daraus erwecken und aus den lange getragenen Banden erlösen soll.

Alle die Schönheiten und das Vortreffliche in den vielen Gemälden unsers Leonardo auseinanderzusetzen ist meine Feder nicht imstande. Sein berühmtestes Bild ist wohl die Vorstellung des heiligen Abendmahles in dem Refektorium der Dominikaner zu Mailand. Man bewundert darin den seelenvollen Ausdruck in den

Köpfen der Jünger Christi, wie jeder den Herrn zu fragen scheinet: Herr! bin ich's? Die alten Anekdotensammler der Kunst erzählen, daß Leonardo, nachdem er die übrigen Figuren vollendet, eine Weile gezögert und immer bei sich überlegt und nachgedacht oder (um vielleicht eigentlicher zu reden) auf glückliche Eingebungen geharret habe, wie er das verräterische Gesicht des Judas und das erhabene Antlitz Jesu recht vollkommen ausdrücken solle; worauf der Prior des Klosters einen einleuchtenden Beweis seines Unverstandes gegeben, indem er ihn wie einen Tagelöhner über sein Zögern zur Rede gestellt habe.

Noch eines Gemäldes des Leonardo muß ich, eines merkwürdigen Umstandes halber, gedenken. Ich meine das Bildnis der Lisa del Giocondo (der Gemahlin des Francesco), an welchem er vier Jahre arbeitete, ohne durch die sorgfältigste und feinste Ausarbeitung jedes Härchens den Geist und das Leben des Ganzen zu ersticken. Sooft nun die edle Frau ihm zum Malen saß, rief er allemal einige Personen herzu, die sie durch eine angenehme und muntre Musik auf Instrumenten, mit der menschlichen Stimme begleitet, aufheitern mußten. Ein sehr sinnreicher Einfall, wegen dessen ich den Leonardo immer bewundert habe. Er wußte nur zu wohl, daß bei Personen, welche zum Malen sitzen, sich gewöhnlich eine trockene und leere Ernsthaftigkeit auf ihrem Gesichte einzufinden pflegt und daß eine solche Miene, wenn sie im Gemälde in bleibenden Zügen festgehalten wird, ein ungefälliges oder wohl gar finsteres Ansehen gewinnt. Dagegen kannte er die Wirkung einer fröhlichen Musik, wie sie sich in den Mienen des Gesichts abspiegelt, wie sie alle Züge auflöst und in ein liebliches, reges Spiel setzt. So trug er die sprechenden Reize des Antlitzes *lebendig* auf die Tafel über und wußte bei Ausübung der einen Kunst sich der andern so glücklich als Gehülfin zu bedienen, daß diese auf jene ihren Widerschein warf.

Wie viele geschickte Maler aus des Leonardo Schule ausgegangen und wie angesehen und allgemein verehrt er in seinem Leben war, läßt sich gedenken. Als er einst in einem Kloster vor Florenz nur den Entwurf zu einem großen Altarblatte gemacht hatte, ward der Ruf dieses Entwurfs so groß, daß zwei Tage lang eine Menge Volks aus der Stadt dahin wallfahrtete und man hätte meinen sollen, es würde ein Fest oder eine Prozession gehalten.

In Florenz hatte Leonardo da Vinci sich wieder aufgehalten, seitdem, in den kriegerischen Zeiten von Italien, der Herzog Lodovico Sforza von Mailand eine gänzliche Niederlage erlitten hatte und die Akademie zu Mailand ganz zerstiebt war. In seinem hohen Alter ward er noch von König Franz dem Ersten aus Florenz nach *Frankreich* berufen.

Der Monarch schätzte ihn über alles hoch und empfing den alten fünfundsiebzigjährigen Mann mit besonderer Freundlichkeit und Achtung. Allein es war ihm nicht beschieden, sein Leben in dem ihm neuen Lande noch hoch zu bringen. Die Beschwerlichkeiten der Reise und die Verschiedenheit der Landesart mußten ihm die Krankheit zugezogen haben, die ihn nicht lange nach seiner Ankunft befiel. Der König besuchte ihn fleißig in seiner Krankheit und bezeigte sich sehr besorgt um ihn. Als er einst auch zu ihm kam, an sein Lager trat und der alte Mann sich im Bette aufrichten wollte, um dem Könige für seine Gnade zu danken, ward er unvermerkt von einer Schwachheit überfallen – der König unterstützte ihn mit seinen Armen – aber der Atem ging ihm aus – und *der Geist*, der so viele und große Dinge gewirkt hatte, welche noch jetzt in ihrer Vollkommenheit bestehen, war durch einen einzigen Hauch, wie ein Blatt von der Erde, weggeweht. –

Wenn der Glanz der Kronen das Licht ist, welches das Gedeihen der Künste vorzüglich befördert, so kann man die Szene, die an dem Ende von Leonardos Leben steht, gewissermaßen als eine Apotheose des Künstlers ansehen; in den Augen der Welt wenigstens mußte es für alle Taten des großen Mannes ein würdiger Lohn erscheinen, in den Armen eines *Königs* zu erblassen. –

Man wird mich nun vielleicht fragen: Ob ich denn nun diesen hier so hochgepriesenen Leonardo da Vinci als den vortrefflichsten und als das Haupt aller Maler aufstellen und alle Schüler auffordern wollte, daß sie gerade so zu werden streben sollten wie er?

Aber anstatt zu antworten, frage ich wieder: Ob es denn nicht erlaubt sei, seinen Blick einmal absichtlich auf den großen und betrachtungswürdigen Geist eines einzigen Mannes zu beschränken, um seine eigentümlichen Vortrefflichkeiten einmal recht für sich, in ihrem Zusammenhange zu überschauen? – und ob man wohl so dreist, mit der anmaßenden Strenge eines Richteramtes, die Künstler nach Maß und Gewicht ihrer Verdienste in Reih und Glied stellen könne, wie die Lehrer der Moral tugend- und lasterhafte Menschen, nach genauen Regeln des Ranges, über- und untereinanderzusetzen sich vermessen?

Ich meine, man könne Geister von sehr verschiedener Beschaffenheit, die beide große Eigenschaften haben, beide bewundern. Die Geister der Menschen sind ebenso unendlich-mannigfaltig, als es ihre Gesichtsbildungen sind. Und nennen wir nicht das ehrwürdige, faltenreiche, weisheitsvolle Antlitz des Greises ebensowohl *schön* als das unbefangene, Empfindung atmende, zauberhafte Gesicht der Jungfrau?

Allein bei dieser bildlichen Vorstellung möchte mir jemand sagen: Wenn aber das Losungswort *Schönheit* ertönt, drängt sich dir da nicht unwillkürlich aus innerer Seele das letztere Bild, das Bild der Venus Urania in deinem Busen hervor?

Und hierauf weiß ich freilich nichts zu antworten.

Wer bei meinem zwiefachen Bilde, wie ich, an den Geist des Mannes, den wir eben geschildert haben, und an den Geist desjenigen, den ich den Göttlichen zu nennen pflege, gedenkt, wird in dieser Gleichnisrede vielleicht Stoff zum Nachsinnen finden. Dergleichen Phantaseien, die uns in den Sinn kommen, verbreiten oftmals auf wunderbare Weise ein helleres Licht über einen Gegenstand als die Schlußreden der Vernunft; und es liegt neben den sogenannten höheren Erkenntniskräften ein Zauberspiegel in unsrer Seele, der uns die Dinge manchmal vielleicht am kräftigsten dargestellt zeigt. –

Zwei Gemäldeschilderungen

Ein schönes Bild oder Gemälde ist, meinem Sinne nach, eigentlich gar nicht zu beschreiben; denn in dem Augenblicke, da man mehr als ein einziges Wort darüber sagt, fliegt die Einbildung von der Tafel weg und gaukelt für sich allein in den Lüften. Drum haben die alten Chronikenschreiber der Kunst mich sehr weise gedünket, wenn sie ein Gemälde bloß: ein vortreffliches, ein unvergleichliches, ein über alles herrliches nennen; indem es mir unmöglich scheint, *mehr* davon zu sagen. Indessen ist es mir beigefallen, ein paar Bilder einmal auf die folgende Art zu schildern, wovon ich die zwei Proben, die mir von selbst in den Sinn gekommen sind, um der eignen Art willen, ohne daß ich diese Art für etwas sehr Vorzügliches halten mag, doch zu jedermanns Ansicht hersetzen will.

Erstes Bild

Die Heilige Jungfrau mit dem Christuskinde
und der kleine Johannes

Maria

Warum bin ich doch so überselig
Und zum allerhöchsten Glück erlesen,
Das die Erde jemals tragen mag?
Ich verzage bei dem großen Glücke,
Und ich weiß nicht Dank dafür zu sagen,
Nicht mit Tränen, nicht mit lauter Freude.
Nur mit Lächeln und mit tiefer Wehmut
Kann ich auf dem Götterkinde ruhen,
Und mein Blick vermag es nicht, zum Himmel
Und zum güt'gen Vater aufzusteigen.
Nimmer werden meine Augen müde,
Dieses Kind, das mir im Schoße spielet,
Anzusehn mit tiefer Herzensfreude.
Ach! und welche fremde, große Dinge,
Die das unschuldvolle Kind nicht ahndet,
Leuchten aus den klugen blauen Augen
Und aus all den kleinen Gaukeleien!
Ach! ich weiß nicht, was ich sagen soll!
Dünkt mich's doch, ich sei nicht mehr auf dieser
Erde,
Wenn ich in mir recht lebendig denke:
Ich, ich bin die Mutter dieses Kindes.

Das Jesuskind

Hübsch und bunt ist die Welt um mich her!
Doch ist's mir nicht wie den andern Kindern,
Doch kann ich nicht recht spielen,
Nichts fest angreifen mit der Hand,
Nicht lautjauchzend frohlocken.

Was sich lebendig
Vor meinen Augen regt und bewegt,
Kommt mir vor wie vorbeigehend Schattenbild
Und artiges Blendwerk.
Aber innerlich bin ich froh
Und denke mir innerlich schönere Sachen,
Die ich nicht sagen kann.

Der kleine Johannes

Ach! wie bet ich es an, das Jesuskindlein!
Ach wie lieblich und voller Unschuld
Gaukelt es in der Mutter Schoß! –
Lieber Gott im Himmel, wie bet ich heimlich zu Dir,
Und danke Dir,
Und preise Dich um Deine große Gnade,
Und flehe Deinen Segen herab auch für mich!

Zweites Bild

Die Anbetung der drei Weisen aus dem Morgenlande

Die drei Weisen

Siehe! aus dem fernen Morgenlande
Kommen wir, vom schönen Stern geführet,
Wir, drei Weisen aus dem fernen Lande,
Wo die Sonn' in ihrer Pracht hervorgeht.
Lange Jahre haben wir nach Weisheit,
Nach der Weisheit Urquell hingetrachtet,
Haben viel erdacht in unserm Geiste;
Und dabei hat uns der Herr der Dinge
Kron' und Zepter gnädiglich verliehen
Und bei unsrer langen Geistesarbeit
Uns mit silberweißem Haupt gesegnet.

Doch wir kommen jetzt dahergezogen
Aus dem Lande, wo die Sonn' emporsteigt,
Um die ganze Weisheit unsrer Jahre,
Unsre ganze Wissenschaft und Kenntnis,
Ach! vor Dir, Du wunderbares Kindlein,
Demutvoll hier in den Staub zu legen
Und in unsern goldnen Königsmänteln
Und mit unsern silberweißen Häuptern
Ehrfurchtsvoll uns hier vor Dir zu beugen,
Hier zu huldigen und anzubeten.
Und zum Zeichen unsrer tiefen Ehrfurcht
Bringen wir Dir Myrrhen, Gold und Weihrauch
Als ein würdig Opfer unsrer Andacht,
Wie wir es zu geben nur vermögen.

Maria

Ach! preise, meine Seele, den Herrn!
Daß er mich so herrlich gemacht hat,
So hoch erhoben vor allem Volke!
Daß *ich* das Kindlein geboren habe,
Das mir im Schoße spielet,
Das die Weisen anzubeten
Aus dem fernen Morgenlande herziehn!
Ach! mein Auge vermag's nicht zu ertragen,
Und mein Herz bricht!
Alle tiefe Weisheit ihrer Jahre
Legen sie vor dem Kindlein in den Staub:
Ihre Knie gebeugt,
Ihre Häupter zur Erde geneigt,
Und am Boden liegen die goldnen Königsmäntel.
Gold und Weihrauch und Myrrhen
Bringen sie zum Opfer;
Ach! dem Kind ein groß und herrlich Opfer! –
O wie selig ist die Mutter innerlich!
Aber ich vermag den weisen Männern
Nicht für ihre große Huld zu danken,

Nicht den Blick zum Himmel aufzuheben.
Aber herrliche und große Dinge
Stehen innerlich mir im Gemüte.

Das Jesuskindlein

Schön muß wohl das ferne Land sein,
Wo die helle Sonn' emporsteigt;
Denn wie herrlich sind die Männer!
Aber wie so alt und prächtig?
Ach! das ist die tiefe Weisheit,
Daß sie goldne Königsmäntel,
Silberweiße Häupter haben.
Und recht wunderbare Dinge
Haben sie mir hergetragen!
Und doch knien sie vor mir nieder –
Seltsam scheinen mir die Männer,
Und ich weiß mir nicht zu sagen,
Wie ich sie recht nennen soll.

Einige Worte über Allgemeinheit, Toleranz und Menschenliebe in der Kunst

Der Schöpfer, welcher unsre Erde und alles, was darauf ist, gemacht hat, hat das ganze Erdenrund mit Seinem Blick umfaßt und den Strom Seines Segens über den ganzen Erdkreis ausgegossen. Aber aus Seiner geheimnisvollen Werkstatt hat Er tausenderlei unendlich-mannigfaltige Keime der Dinge über unsre Kugel hergestreut, die unendlich-mannigfaltige Früchte tragen und zu Seiner Ehre zu dem größesten, buntesten Garten hervorschießen. Auf wunderbare Weise führt Er Seine Sonne um den Erdball in gemessenen Kreisen

herum, daß ihre Strahlen in tausend Richtungen zur Erde kommen und unter jedem Himmelsstriche das Mark der Erde zu verschiedenartigen Schöpfungen auskochen und hervortreiben.
Mit gleichem Auge ruht Er in *einem* großen Moment auf dem Werk Seiner Hände und empfängt mit Wohlgefallen das Opfer der ganzen lebendigen und leblosen Natur. Das Brüllen des Löwen ist Ihm so angenehm wie das Schreien des Rentiers; und die Aloe duftet Ihm ebenso lieblich als Rose und Hyazinthe.
Auch der Mensch ist in tausendfacher Gestalt aus Seiner schaffenden Hand gegangen: – die Brüder *eines* Hauses kennen sich nicht und verstehen sich nicht; sie reden verschiedene Sprachen und staunen übereinander: – aber *Er* kennt sie alle und freuet sich aller; mit gleichem Auge ruht Er auf Seiner Hände Werk und empfängt das Opfer der ganzen Natur.
Auf mancherlei Weise hört Er die Stimmen der Menschen von den himmlischen Dingen durcheinanderreden und weiß, daß alle – alle, wär' es auch wider ihr Wissen und Willen – dennoch *Ihn*, den Unnennbaren, meinen.
So hört Er auch die innere Empfindung der Menschen in verschiedenen Zonen und in verschiedenen Zeitaltern verschiedene Sprachen reden und hört, wie sie miteinander streiten und sich nicht verstehen: aber dem ewigen Geiste löst sich alles in Harmonie auf; Er weiß, daß ein jeder die Sprache redet, die Er ihm angeschaffen hat, daß ein jeder sein Inneres äußert, wie er kann und soll; – wenn sie in ihrer Blindheit untereinander streiten, so weiß und erkennet Er, daß für sich ein jeglicher recht hat; Er sieht mit Wohlgefallen auf jeden und auf alle und freut sich des bunten Gemisches.
Kunst ist die Blume menschlicher Empfindung zu nennen. In ewig wechselnder Gestalt erhebt sie sich unter den mannigfaltigen Zonen der Erde zum Himmel em-

por, und dem allgemeinen Vater, der den Erdball mit allem was daran ist, in Seiner Hand hält, duftet auch von dieser Saat nur *ein* vereinigter Wohlgeruch.
Er erblickt in jeglichem Werke der Kunst, unter allen Zonen der Erde, die Spur von dem himmlischen Funken, der, von Ihm ausgegangen, durch die Brust des Menschen hindurch, in dessen kleine Schöpfungen überging, aus denen er dem großen Schöpfer wieder entgegenglimmt. Ihm ist der gotische Tempel so wohlgefällig als der Tempel des Griechen; und die rohe Kriegsmusik der Wilden ist Ihm ein so lieblicher Klang als kunstreiche Chöre und Kirchengesänge.
Und wenn ich nun von Ihm, dem Unendlichen, durch die unermeßlichen Räume des Himmels wieder zur Erde gelange und mich unter meinen Mitbrüdern umsehe – ach! so muß ich laute Klagen erheben, daß sie ihrem ewigen großen Vorbilde im Himmel so wenig ähnlich zu werden sich bestreben. Sie zanken miteinander, und verstehen sich nicht, und sehen nicht, daß sie alle nach demselben Ziele eilen, weil jeder mit festem Fuße auf seinem Standort stehenbleibt und seine Augen nicht über das Ganze zu erheben weiß.
Blöden Menschen ist es nicht begreiflich, daß es auf unserer Erdkugel Antipoden gebe und daß sie selber Antipoden sind. Sie denken sich den Ort, wo sie stehen, immer als den Schwerpunkt des Ganzen – und ihrem Geiste mangeln die Schwingen, das ganze Erdenrund zu umfliegen und das in sich selbst gegründete Ganze mit *einem* Blicke zu umspielen.
Und ebenso betrachten sie *ihr* Gefühl als das Zentrum alles Schönen in der Kunst und sprechen, wie vom Richterstuhle, über alles das entscheidende Urteil ab, ohne zu bedenken, daß sie niemand zu Richtern gesetzt hat und daß diejenigen, die von ihnen verurteilt sind, sich ebensowohl dazu aufwerfen könnten.
Warum verdammt ihr den Indianer nicht, daß er indianisch und nicht unsre Sprache redet? –

Und doch wollt ihr das Mittelalter verdammen, daß es nicht solche Tempel baute wie Griechenland? –
O so ahndet euch doch in die fremden Seelen hinein und merket, daß ihr mit euren verkannten Brüdern die Geistesgaben aus *derselben* Hand empfangen habt! Begreifet doch, daß jedes Wesen nur aus den Kräften, die es vom Himmel erhalten hat, Bildungen aus sich herausschaffen kann und daß einem jeden seine Schöpfungen gemäß sein müssen. Und wenn ihr euch nicht in alle fremde Wesen hineinzu*fühlen* und durch ihr Gemüt hindurch ihre Werke zu *empfinden* vermöget; so versuchet wenigstens, durch die Schlußketten des Verstandes mittelbar an diese Überzeugung heranzureichen. –
Hätte die aussäende Hand des Himmels den Keim deiner Seele auf die afrikanischen Sandwüsten fallen lassen, so würdest du aller Welt das glänzende Schwarz der Haut, das dicke, stumpfe Gesicht und die kurzen, krausen Haare als wesentliche Teile der höchsten Schönheit angepredigt und den ersten weißen Menschen verlacht oder gehaßt haben. Wäre deine Seele einige hundert Meilen weiter nach Osten, auf dem Boden von Indien aufgegangen, so würdest du in den kleinen, seltsamgestalteten, vielarmigen Götzen den geheimen Geist fühlen, der, unsern Sinnen verborgen, darinnen weht, und würdest, wenn du die Bildsäule der mediceischen Venus erblicktest, nicht wissen, was du davon halten solltest. Und hätte es Demjenigen, in dessen Macht du standest und stehst, gefallen, dich unter die Scharen südlicher Insulaner zu werfen, so würdest du in jedem wilden Trommelschlag und den rohen, gellenden Schlägen der Melodie einen tiefen Sinn finden, von dem du jetzt keine Silbe fassest. Würdest du aber in irgendeinem dieser Fälle die Gabe der Schöpfung oder die Gabe des Genusses der Kunst aus einer andern Quelle als aus der ewigen und allge-

meinen, der du auch jetzt alle deine Schätze verdankest, empfangen haben? –
Das Einmaleins der Vernunft folgt unter allen Nationen der Erde denselben Gesetzen und wird nur hier auf ein unendlich größeres, dort auf ein sehr geringes Feld von Gegenständen angewandt. – Auf ähnliche Weise ist das *Kunstgefühl* nur ein und derselbe himmlische Lichtstrahl, welcher aber, durch das mannigfach-geschliffene Glas der Sinnlichkeit unter verschiedenen Zonen sich in tausenderlei verschiedene Farben bricht.
Schönheit: ein wunderseltsames Wort! Erfindet erst neue Worte für jedes einzelne Kunstgefühl, für jedes einzelne Werk der Kunst! In jedem spielt eine andere Farbe, und für ein jedes sind andere Nerven in dem Gebäude des Menschen geschaffen.
Aber ihr spinnt aus diesem Worte durch Künste des Verstandes ein strenges *System* und wollt alle Menschen zwingen, nach euren Vorschriften und Regeln zu fühlen – und fühlet selber nicht.
Wer ein *System glaubt*, hat die allgemeine Liebe aus seinem Herzen verdrängt! Erträglicher noch ist Intoleranz des Gefühls als Intoleranz des Verstandes; – *Aberglaube* besser als *Systemglaube*. –
Könnt ihr den Melancholischen zwingen, daß er scherzhafte Lieder und muntern Tanz angenehm finde? Oder den Sanguinischen, daß er sein Herz den tragischen Schrecknissen mit Freude darbiete?
O lasset doch jedes sterbliche Wesen und jedes Volk unter der Sonne bei seinem Glauben und seiner Glückseligkeit! und freuet euch, wenn andere sich freuen – wenn ihr euch auch über das, was ihnen das Liebste und Werteste ist, nicht mit zu freuen versteht.
Uns, Söhnen dieses Jahrhunderts, ist der Vorzug zuteil geworden, daß wir auf dem Gipfel eines hohen Berges stehen und daß viele Länder und viele Zeiten unsern Augen offenbar, um uns herum und zu unsern

Füßen ausgebreitet liegen. So lasset uns denn dieses Glück benutzen und mit heitern Blicken über alle Zeiten und Völker umherschweifen und uns bestreben, an allen ihren mannigfaltigen Empfindungen und Werken der Empfindung immer *das Menschliche* herauszufühlen. – –

Jegliches Wesen strebt nach dem Schönsten: aber es kann nicht aus sich herausgehen und sieht das Schönste nur in sich. So wie in jedes sterbliche Auge ein anderes Bild des Regenbogens kommt, so wirft sich jedem aus der umgebenden Welt ein anderes Abbild der Schönheit zurück. Die allgemeine, ursprüngliche Schönheit aber, die wir nur in Momenten der verklärten Anschauung *nennen*, nicht in Worte auflösen können, zeigt sich Dem, der den Regenbogen und das Auge, das ihn siehet, gemacht hat.

Ich habe meine Rede angefangen von Ihm, und ich kehre wieder zu Ihm zurück: – wie der Geist der Kunst – wie aller Geist von Ihm ausgeht und durch die Atmosphäre der Erde Ihm zum Opfer wieder entgegendringt. –

Ehrengedächtnis unsers ehrwürdigen Ahnherrn Albrecht Dürers

Von einem kunstliebenden Klosterbruder

Nürnberg! du vormals weltberühmte Stadt! Wie gerne durchwanderte ich deine krummen Gassen; mit welcher kindlichen Liebe betrachtete ich deine altväterischen Häuser und Kirchen, denen die feste Spur von unsrer alten vaterländischen Kunst eingedrückt ist! Wie innig lieb ich die Bildungen jener Zeit, die eine so derbe, kräftige und wahre Sprache führen! Wie ziehen

sie mich zurück in jenes graue Jahrhundert, da du, Nürnberg, die lebendigwimmelnde Schule der vaterländischen Kunst warst und ein recht fruchtbarer, überfließender Kunstgeist in deinen Mauern lebte und webte: – da Meister Hans Sachs und Adam Kraft, der Bildhauer, und vor allen *Albrecht Dürer* mit seinem Freunde Willibaldus Pirckheimer und so viel andre hochgelobte Ehrenmänner noch lebten! Wie oft hab ich mich in jene Zeit zurückgewünscht! Wie oft ist sie in meinen Gedanken wieder von neuem vor mir hervorgegangen, wenn ich in deinen ehrwürdigen Büchersälen, Nürnberg, in einem engen Winkel, beim Dämmerlicht der kleinen, rundscheibigen Fenster saß und über den Folianten des wackern Hans Sachs oder über anderem alten, gelben, wurmgefressenen Papier brütete; – oder wenn ich unter den kühnen Gewölben deiner düstern Kirchen wandelte, wo der Tag durch buntbemalte Fenster all das Bildwerk und die Malereien der alten Zeit wunderbar beleuchtet! – –
Ihr wundert euch wieder und sehet mich an, ihr Engherzigen und Kleingläubigen! O ich kenne sie ja, die Myrtenwälder Italiens – ich kenne sie ja, die himmlische Glut in den begeisterten Männern des beglückten Südens: – was ruft ihr mich hin, wo immer Gedanken meiner Seele wohnen, wo die Heimat der schönsten Stunden meines Lebens ist! – ihr, die ihr überall Grenzen sehet, wo keine sind! Liegt Rom und Deutschland nicht auf *einer* Erde? Hat der himmlische Vater nicht *Wege* von Norden nach Süden wie von Westen nach Osten über den Erdkreis geführt? Ist ein Menschenleben zu kurz? Sind die Alpen unübersteiglich? – Nun so muß auch mehr als *eine* Liebe in der Brust des Menschen wohnen können. – –
Aber jetzt wandelt mein traurender Geist auf der geweiheten Stätte vor deinen Mauern, Nürnberg; auf dem Gottesacker, wo die Gebeine Albrecht Dürers ruhen, der einst die Zierde von Deutschland, ja von

Europa war. Sie ruhen, von wenigen besucht, unter zahllosen Grabsteinen, deren jeder mit einem ehernen Bildwerk, als dem Gepräge der alten Kunst, bezeichnet ist und zwischen denen sich hohe Sonnenblumen in Menge erheben, welche den Gottesacker zu einem lieblichen Garten machen. So ruhen die vergessenen Gebeine unsers alten Albrecht Dürers, um dessentwillen es mir lieb ist, daß ich ein Deutscher bin.

Wenigen muß es gegeben sein, die Seele in deinen Bildern so zu verstehen und das Eigne und Besondere darin mit solcher Innigkeit zu genießen, als der Himmel es mir vor vielen andern vergönnt zu haben scheinet; denn ich sehe mich um und finde wenige, die mit so herzlicher Liebe, mit solcher Verehrung vor dir verweilten, als ich.

Ist es nicht, als wenn die Figuren in diesen deinen Bildern wirkliche Menschen wären, welche zusammen redeten? Ein jeglicher ist so eigentümlich gestempelt, daß man ihn aus einem großen Haufen herauskennen würde; ein jeglicher so aus der Mitte der Natur genommen, daß er ganz und gar seinen Zweck erfüllt. Keiner ist mit halber Seele da, wie man es öfters bei sehr zierlichen Bildern neuerer Meister sagen möchte; jeder ist im vollen Leben ergriffen und so auf die Tafel hingestellt. Wer klagen soll, klagt; wer zürnen soll, zürnt; und wer beten soll, betet. Alle Figuren reden, und reden laut und vernehmlich. Kein Arm bewegt sich unnütz oder bloß zum Augenspiel und zur Füllung des Raums; alle Glieder, alles spricht uns gleichsam mit Macht an, daß wir den Sinn und die Seele des Ganzen recht fest im Gemüte fassen. Wir glauben alles, was der kunstreiche Mann uns darstellt; und es verwischt sich nie aus unserm Gedächtnis.

Wie ist's, daß mir die heutigen Künstler unsers Vaterlands so anders erscheinen als jene preiswürdigen Männer der alten Zeit und du vornehmlich, mein geliebter Dürer? Wie ist's, daß es mir vorkommt, als wenn ihr alle die Malerkunst weit ernsthafter, wichtiger und würdiger gehandhabt hättet als diese zierlichen Künstler unsrer Tage? Mich dünkt, ich sehe euch, wie ihr nachdenkend vor eurem angefangenen Bilde stehet – wie die Vorstellung, die ihr sichtbar machen wollt, ganz lebendig eurer Seele vorschwebt – wie ihr bedächtlich überlegt, welche Mienen und welche Stellungen den Zuschauer wohl am stärksten und sichersten ergreifen und seine Seele beim Ansehen am mächtigsten bewegen möchten – und wie ihr dann, mit inniger Teilnahme und freundlichem Ernst, die eurer lebendigen Einbildung befreundeten Wesen auf die Tafel treu und langsam auftraget. – Aber die Neueren scheinen gar nicht zu wollen, daß man ernsthaft an dem, was sie uns vorstellen, teilnehmen solle; sie arbeiten für vornehme Herren, welche von der Kunst nicht gerührt und veredelt, sondern aufs höchste geblendet und gekitzelt sein wollen; sie bestreben sich, ihr Gemälde zu einem Probestück von recht vielen lieblichen und täuschenden Farben zu machen; sie prüfen ihren Witz in Ausstreuung des Lichtes und Schattens; – aber die Menschenfiguren scheinen öfters bloß um der Farben und um des Lichtes willen, wahrlich ich möchte sagen, als ein notwendiges Übel im Bilde zu stehen.

Wehe muß ich rufen über unser Zeitalter, daß es die Kunst so bloß als ein leichtsinniges Spielwerk der Sinne übt, da sie doch wahrlich etwas sehr Ernsthaftes und Erhabenes ist. Achtet man den Menschen nicht mehr, daß man ihn in der Kunst vernachlässigt und artige Farben und allerhand Künstlichkeit mit Lichtern der Betrachtung würdiger findet? –

In den Schriften des von unserm Albrecht sehr hochgeschätzten und verteidigten *Martin Luthers*, worin ich, wie ich nicht ungern gestehe, einiges aus Wißbegier wohl gelesen habe und in welchen viel Gutes verborgen sein mag, habe ich über die Wichtigkeit der

Kunst eine merkwürdige Stelle gefunden, die mir jetzt lebhaft ins Gemüt kommt. Denn es behauptet dieser Mann irgendwo ganz dreist und ausdrücklich: daß nächst der Theologie unter allen Wissenschaften und Künsten des menschlichen Geistes die Musik den ersten Platz einnehme. Und ich muß offenherzig bekennen, daß dieser kühne Ausspruch meine Blicke sehr auf den ausgezeichneten Mann hingerichtet hat. Denn die Seele, aus welcher ein solcher Ausspruch kommen konnte, mußte für die Kunst grade diejenige tiefe Verehrung empfinden, welche, ich weiß nicht woher, in so wenigen Gemütern wohnt und welche, nach meinem Bedünken, doch so sehr natürlich und so bedeutend ist.

Wenn nun die Kunst (ich meine, ihr Haupt- und wesentlicher Teil) wirklich von solcher Wichtigkeit ist; so ist es sehr unwürdig und leichtsinnig, sich von den sprechenden und lehrreichen Menschenfiguren unsers alten Albrecht Dürers hinwegzuwenden, weil sie nicht mit der gleißenden äußeren Schönheit, welche die heutige Welt für das Einzige und Höchste in der Kunst hält, ausgestattet sind. Es verrät nicht ein ganz gesundes und reines Gemüt, wenn sich jemand vor einer geistlichen Betrachtung, welche an sich triftig und eindringend ist, die Ohren zuhält, weil der Redner seine Worte nicht in zierlicher Ordnung stellet oder weil er eine üble, fremde Aussprache oder ein schlechtes Spiel mit Händen an sich hat. Hindern mich aber dergleichen Gedanken, diese äußere und sozusagen bloß körperliche Schönheit der Kunst, wo ich sie finde, nach Verdienst zu schätzen und zu bewundern?

Auch wird dir das, mein geliebter Albrecht Dürer, als ein grober Verstoß angerechnet, daß du deine Menschenfiguren nur so bequem nebeneinander hinstellst, ohne sie künstlich durcheinander zu verschränken, daß sie ein methodisches Gruppo bilden. Ich liebe dich in dieser deiner unbefangenen Einfalt und hefte mein Auge unwillkürlich zuerst auf die *Seele* und tiefe *Bedeutung* deiner Menschen, ohne daß mir dergleichen Tadelsucht nur in den Sinn kommt. Viele Personen aber scheinen von derselben wie von einem bösen, quälenden Geiste so geplagt, daß sie dadurch zu verachten und zu verhöhnen angereizt werden, ehe sie ruhig betrachten können – und am allerwenigsten über die Schranken der Gegenwart sich in die Vorzeit hinüberzusetzen vermögen. Gern will ich euch zugeben, ihr eifrigen Neulinge, daß ein junger Schüler jetzt klüger und gelehrter von Farben, Licht und Zusammenfügung der Figuren reden mag, als der alte Dürer es verstand; spricht aber sein eigener Geist aus dem Knaben oder nicht vielmehr die Kunstweisheit und Erfahrung der vergangenen Zeiten? Die eigentliche, innere Seele der Kunst fassen nur einzelne auserwählte Geister *auf einmal*, mag auch schon die Führung des Pinsels noch sehr mangelhaft sein; alle die Außenwerke der Kunst hingegen werden nach und nach, durch Erfindung, Übung und Nachdenken zur Vollkommenheit gebracht. Es ist aber eine schnöde und betrauernswerte Eitelkeit, die das Verdienst der *Zeiten* ihrem eigenen schwachen Haupte zur Krone aufsetzt und ihre Nichtigkeit unter erborgtem Glanze verstecken will. Hinweg, ihr weisen Knaben, von dem alten Künstler von Nürnberg! – und daß keiner verspottend ihn zu richten sich vermesse, der noch kindisch darüber naserümpfen kann, daß er nicht Tizian und Correggio zu Lehrmeistern hatte oder daß man zu seiner Zeit so seltsam altfränkische Kleidung trug!

Denn auch um deswillen wollen die heutigen Lehrer ihn, so wie manchen andern guten Maler seines Jahrhunderts, nicht schön und edel nennen, weil sie die Geschichte aller Völker und wohl selbst die geistlichen Historien unserer Religion in die Tracht ihrer Zeiten

kleiden. Allein ich denke dabei, wie doch ein jeder Künstler, der die Wesen vergangener Jahrhunderte durch seine Brust gehen läßt, sie mit dem Geist und Atem *seines* Alters beleben muß; und wie es doch billig und natürlich ist, daß die Schöpfungskraft des Menschen alles Fremde und Entfernte, und also auch selbst die himmlischen Wesen, sich liebend nahebringt und in die wohlbekannten und geliebten Formen *seiner* Welt und *seines* Gesichtskreises hüllt.
Als Albrecht den Pinsel führte, da war der Deutsche auf dem Völkerschauplatz unsers Weltteils noch ein eigentümlicher und ausgezeichneter Charakter von festem Bestand; und *seinen* Bildern ist nicht nur in Gesichtsbildung und im ganzen Äußeren, sondern auch im inneren Geiste, dieses ernsthafte, grade und kräftige Wesen des deutschen Charakters treu und deutlich eingeprägt. In unsern Zeiten ist dieser festbestimmte deutsche Charakter, und ebenso die deutsche Kunst, verlorengegangen. Der junge Deutsche lernt die Sprachen aller Völker Europas und soll prüfend und richtend aus dem Geiste aller Nationen Nahrung ziehen; – und der Schüler der Kunst wird belehrt, wie er den Ausdruck Raffaels, und die Farben der venezianischen Schule, und die Wahrheit der Niederländer, und das Zauberlicht des Correggio, alles zusammen nachahmen und auf diesem Wege zur alles übertreffenden Vollkommenheit gelangen solle. – O traurige Afterweisheit! O blinder Glaube des Zeitalters, daß man jede Art der Schönheit und jedes Vorzügliche aller großen Künstler der Erde zusammensetzen und durch das Betrachten aller und das Erbetteln von ihren mannigfachen großen Gaben ihrer aller Geist in sich vereinigen und sie alle besiegen könne! – Die Periode der eigenen Kraft ist vorüber; man will durch ärmliches Nachahmen und klügelndes Zusammensetzen das versagende Talent erzwingen, und kalte, geleckte, charakterlose Werke sind die Frucht. – Die

deutsche Kunst war ein frommer Jüngling in den Ringmauern einer kleinen Stadt unter Blutsfreunden häuslich erzogen; – nun sie älter ist, ist sie zum allgemeinen Weltmanne geworden, der mit den kleinstädtischen Sitten zugleich sein Gefühl und sein eigentümliches Gepräge von der Seele weggewischt hat.
Ich möchte um alles nicht, daß der zauberhafte Correggio oder der prächtige Paolo Veronese oder der gewaltige Buonarroti ebenso gemalt hätten als *Raffael*. Und eben auch stimme ich keineswegs in die Redensarten derer mit ein, welche sprechen: »Hätte Albrecht Dürer nur in Rom eine Zeitlang gehauset und die echte Schönheit und das Idealische vom Raffael abgelernt, so wäre er ein großer Maler geworden; man muß ihn bedauern und sich nur wundern, wie er es in seiner Lage noch so weit gebracht hat.« Ich finde hier nichts zu bedauern, sondern freue mich, daß das Schicksal dem deutschen Boden an diesem Manne einen echtvaterländischen Maler gegönnt hat. Er würde nicht er selber geblieben sein; sein Blut war kein italienisches Blut. Er war für das Idealische und die erhabene Hoheit eines Raffaels nicht geboren; er hatte *daran* seine Lust, uns die Menschen zu zeigen, wie sie um ihn herum wirklich waren, und es ist ihm gar trefflich gelungen.
Dennoch aber fiel es mir, als ich in meinen jüngern Jahren die ersten Gemälde vom Raffael sowohl als von dir, mein geliebter Dürer, in einer herrlichen Bildergalerie sah, wunderbar in den Sinn, wie unter allen andern Malern, die ich kannte, diese beiden eine ganz besonders nahe Verwandtschaft zu meinem Herzen hätten. Bei beiden gefiel es mir so sehr, daß sie so einfach und grade, ohne die zierlichen Umschweife anderer Maler, uns die Menschheit in voller Seele so klar und deutlich vor Augen stellen. Allein ich getraute mich damals nicht, meine Meinung jemanden zu entdecken, weil ich glaubte, daß jeder mich verlachen

würde, und wohl wußte, daß die mehresten in dem alten deutschen Maler nichts als etwas sehr Steifes und Trockenes erkennen. Ich war indes an dem Tage, da ich jene Bildergalerie gesehen hatte, so voll von diesem neuen Gedanken, daß ich damit einschlief und mir in der Nacht ein entzückendes Traumgesicht vorkam, welches mich noch fester in meinem Glauben bestärkte. Es dünkte mich nämlich, als wenn ich nach Mitternacht von dem Gemach des Schlosses, worin ich schlief, durch die dunklen Säle des Gebäudes ganz allein mit einer Fackel nach der Bildergalerie zuginge. Als ich an die Tür kam, hörte ich drinnen ein leises Gemurmel; – ich öffnete sie – und plötzlich fuhr ich zurück, denn der ganze große Saal war von einem seltsamen Lichte erleuchtet und vor mehreren Gemälden standen ihre ehrwürdigen Meister in leibhafter Gestalt da und in ihrer alten Tracht, wie ich sie in Bildnissen gesehen hatte. Einer von ihnen, den ich nicht kannte, sagte mir, daß sie manche Nacht vom Himmel herunterstiegen und hier und dort auf Erden in Bildersälen bei der nächtlichen Stille umherwankten und die noch immer geliebten Werke ihrer Hand betrachteten. Viele italienische Maler erkannt' ich; von Niederländern sah ich sehr wenige. Ehrfurchtsvoll ging ich zwischen ihnen durch; – und siehe! da standen, abgesondert von allen, *Raffael* und *Albrecht Dürer* Hand in Hand leibhaftig vor meinen Augen und sahen in freundlicher Ruhe schweigend ihre beisammenhängenden Gemälde an. Den göttlichen Raffael anzureden hatte ich nicht den Mut; eine heimliche ehrerbietige Furcht verschloß mir die Lippen. Aber meinen Albrecht wollte ich soeben begrüßen und meine Liebe vor ihm ausschütten; – allein in dem Augenblick verwirrte sich mit einem Getöse alles vor meinen Augen, und ich erwachte mit heftiger Bewegung.

Dieses Traumgesicht hatte meinem Gemüt innige

Freude gemacht, und diese ward noch vollkommener, als ich bald nachher in dem alten Vasari las, wie die beiden herrlichen Künstler auch bei ihren Lebzeiten wirklich, ohne sich zu kennen, durch ihre Werke Freunde gewesen und wie die redlichen und treuen Arbeiten des alten Deutschen vom Raffael mit Wohlgefallen angesehen wären und er sie seiner Liebe nicht unwert geachtet hätte.
Das aber kann ich freilich nicht verschweigen, daß mir nachher bei den Werken der beiden Maler immer so wie in jenem Traum zumute war, daß ich nämlich bei denen des Albrecht Dürer wohl manchmal mich daran versuchte, ihr echtes Verdienst jemanden zu erklären und über ihre Vortrefflichkeiten mich in Worte auszubreiten wagte; bei den Werken Raffaels aber, immer von der himmlischen Schönheit so überfüllt und bedrängt ward, daß ich nicht wohl darüber reden noch jemanden deutlich auseinandersetzen konnte, woraus mir überall das Göttliche hervorleuchte.
Aber ich will jetzt meine Blicke von dir nicht abwenden, mein Albrecht. Vergleichung ist ein gefährlicher Feind des Genusses; auch die höchste Schönheit der Kunst übt nur dann, wie sie soll, ihre volle Gewalt an uns aus, wenn unser Auge nicht zugleich seitwärts auf andere Schönheit blickt. Der Himmel hat seine Gaben unter die großen Künstler der Erde so verteilet, daß wir durchaus genötiget werden, vor einem jeglichen stillezustehen und jeglichem seinen Anteil unsrer Verehrung zu opfern.
Nicht bloß unter italienischem Himmel, unter majestätischen Kuppeln und korinthischen Säulen; – auch unter Spitzgewölben, kraus-verzierten Gebäuden und gotischen Türmen wächst wahre Kunst hervor.
Friede sei mit deinen Gebeinen, mein Albrecht Dürer! und möchtest du wissen, wie ich dich liebhabe, und hören, wie ich unter der heutigen, dir fremden Welt der Herold deines Namens bin. – Gesegnet sei mir

deine goldene Zeit, Nürnberg! – die einzige Zeit, da Deutschland eine eigene vaterländische Kunst zu haben sich rühmen konnte. – Aber die schönen Zeitalter ziehen über die Erde hinweg und verschwinden, wie glänzende Wolken über das Gewölbe des Himmels wegziehn. Sie sind vorüber, und ihrer wird nicht gedacht; nur wenige rufen sie aus innerer Liebe in ihr Gemüt zurück, aus bestäubten Büchern und bleibenden Werken der Kunst.

Von zwei wunderbaren Sprachen und deren geheimnisvoller Kraft

Die Sprache der Worte ist eine große Gabe des Himmels, und es war eine ewige Wohltat des Schöpfers, daß er die Zunge des ersten Menschen löste, damit er alle Dinge, die der Höchste um ihn her in die Welt gesetzt, und alle geistigen Bilder, die er in seine Seele gelegt hatte, nennen und seinen Geist in dem mannigfaltigen Spiele mit diesem Reichtum von Namen üben konnte. Durch Worte herrschen wir über den ganzen Erdkreis; durch Worte erhandeln wir uns mit leichter Mühe alle Schätze der Erde. Nur *das Unsichtbare, das über uns schwebt*, ziehen Worte nicht in unser Gemüt herab.

Die irdischen Dinge haben wir in unsrer Hand, wenn wir ihre Namen aussprechen; – aber wenn wir die Allgüte Gottes oder die Tugend der Heiligen nennen hören, welches doch Gegenstände sind, die unser ganzes Wesen ergreifen sollten, so wird allein unser Ohr mit leeren Schallen gefüllt und unser Geist nicht, wie es sollte, erhoben.

Ich kenne aber *zwei wunderbare Sprachen*, durch welche der Schöpfer den Menschen vergönnt hat, die himmlischen Dinge in ganzer Macht, soviel es nämlich (um nicht verwegen zu sprechen) sterblichen Geschöpfen möglich ist, zu fassen und zu begreifen. Sie kommen durch ganz andere Wege zu unserm Inneren als durch die Hülfe der Worte; sie bewegen auf *einmal*, auf eine wunderbare Weise, unser ganzes Wesen und drängen sich in jede Nerve und jeden Blutstropfen, der uns angehört. Die eine dieser wundervollen Sprachen redet nur *Gott*; die andere reden nur wenige Auserwählte unter den Menschen, die er zu seinen Lieblingen gesalbt hat. Ich meine: *die Natur* und *die Kunst*. –

Seit meiner frühen Jugend her, da ich den Gott der Menschen zuerst aus den uralten heiligen Büchern unserer Religion kennenlernte, war mir die *Natur* immer das gründlichste und deutlichste Erklärungsbuch über sein Wesen und seine Eigenschaften. Das Säuseln in den Wipfeln des Waldes und das Rollen des Donners haben mir geheimnisvolle Dinge von ihm erzählet, die ich in Worten nicht aufsetzen kann. Ein schönes Tal, von abenteuerlichen Felsengestalten umschlossen, oder ein glatter Fluß, worin gebeugte Bäume sich spiegeln, oder eine heitere grüne Wiese von dem blauen Himmel beschienen – ach diese Dinge haben in meinem inneren Gemüte mehr wunderbare Regungen zuwege gebracht, haben meinen Geist von der Allmacht und Allgüte Gottes inniger erfüllt und meine ganze Seele weit mehr gereinigt und erhoben, als es je die Sprache der Worte vermag. Sie ist, dünkt mich, ein allzu irdisches und grobes Werkzeug, um das Unkörperliche wie das Körperliche damit zu handhaben.

Ich finde hier einen großen Anlaß, die Macht und Güte des Schöpfers zu preisen. Er hat um uns Menschen eine unendliche Menge von Dingen umhergestellt, wovon jedes ein anderes Wesen hat und wovon wir keines verstehen und begreifen. Wir wissen nicht, was ein Baum ist; nicht, was eine Wiese, nicht, was ein Felsen ist; wir können nicht in unserer Sprache mit ihnen reden; wir verstehen nur *uns* untereinander. Und dennoch hat der Schöpfer in das Menschenherz eine solche wunderbare Sympathie zu diesen Dingen gelegt, daß sie demselben auf unbekannten Wegen Gefühle oder Gesinnungen, oder wie man es nennen mag, zuführen, welche wir nie durch die abgemessensten Worte erlangen.

Die Weltweisen sind, aus einem an sich löblichen Eifer für die Wahrheit, irregegangen; sie haben die Geheimnisse des Himmels aufdecken und unter die irdischen Dinge, in irdische Beleuchtung stellen wollen und die *dunkeln Gefühle* von denselben mit kühner Verfechtung ihres Rechtes aus ihrer Brust verstoßen. – Vermag der schwache Mensch die Geheimnisse des Himmels aufzuhellen? Glaubt er verwegen ans Licht ziehen zu können, was Gott mit seiner Hand bedeckt? Darf er wohl die *dunkeln Gefühle*, welche wie verhüllte Engel zu uns herniedersteigen, hochmütig von sich weisen? – Ich ehre sie in tiefer Demut; denn es ist große Gnade von Gott, daß er uns diese echten Zeugen der Wahrheit herabsendet. Ich falte die Hände und bete an. –

Die *Kunst* ist eine Sprache ganz anderer Art als die Natur; aber auch ihr ist, durch ähnliche dunkle und geheime Wege, eine wunderbare Kraft auf das Herz des Menschen eigen. Sie redet durch Bilder der Menschen und bedienet sich also einer Hieroglyphenschrift, deren Zeichen wir dem Äußern nach kennen und verstehen. Aber sie schmelzt das Geistige und Unsinnliche auf eine so rührende und bewundernswürdige Weise in die sichtbaren Gestalten hinein, daß wiederum unser ganzes Wesen und alles, was an uns ist, von Grund auf bewegt und erschüttert wird. Manche Gemälde aus der Leidensgeschichte Christi oder von unsrer Heiligen Jungfrau oder aus der Geschichte der Heiligen haben, ich darf es wohl sagen, mein Ge-

müt mehr gesäubert und meinem inneren Sinne tugendseligere Gesinnungen eingeflößet als Systeme der Moral und geistliche Betrachtungen. Ich denke unter andern noch mit Inbrunst an ein über alles herrlich gemaltes Bild unsers heiligen Sebastian, wie er nackt an einen Baum gebunden steht, ein Engel ihm die Pfeile aus der Brust zieht und ein anderer Engel vom Himmel einen Blumenkranz für sein Haupt bringt. Diesem Gemälde verdanke ich sehr eindringliche und haftende christliche Gesinnungen, und ich kann mir jetzt kaum dasselbe lebhaft vorstellen, ohne daß mir die Tränen in die Augen kommen.
Die Lehren der Weisen setzen nur unser Gehirn, nur die eine Hälfte unseres Selbst, in Bewegung; aber die zwei wunderbaren Sprachen, deren Kraft ich hier verkündige, rühren unsre Sinne sowohl als unsern Geist; oder vielmehr scheinen dabei (wie ich es nicht anders ausdrücken kann) alle Teile unsers (uns unbegreiflichen) Wesens zu einem einzigen, neuen Organ zusammenzuschmelzen, welches die himmlischen Wunder auf diesem zwiefachen Wege faßt und begreift.
Die eine der Sprachen, welche der Höchste selber von Ewigkeit zu Ewigkeit fortredet, die ewig lebendige, unendliche *Natur*, ziehet uns durch die weiten Räume der Lüfte unmittelbar zu der Gottheit hinauf. Die *Kunst* aber, die, durch sinnreiche Zusammensetzungen von gefärbter Erde und etwas Feuchtigkeit, die menschliche Gestalt in einem engen, begrenzten Raume, nach innerer Vollendung strebend, nachahmt (eine Art von Schöpfung, wie sie sterblichen Wesen hervorzubringen vergönnt ward) – sie schließt uns die Schätze in der menschlichen Brust auf, richtet unsern Blick in unser Inneres und zeigt uns das Unsichtbare, ich meine alles, was edel, groß und göttlich ist, in menschlicher Gestalt. –
Wenn ich aus dem gottgeweiheten Tempel unsers Klosters von der Betrachtung Christi am Kreuz ins Freie

hinaustrete und der Sonnenschein vom blauen Himmel mich warm und lebendig umfängt und die schöne Landschaft mit Bergen, Gewässer und Bäumen mein Auge rührt; so sehe ich eine eigene Welt Gottes vor mir hervorgehen und fühle auf eigene Weise große Dinge in meinem Inneren sich erheben. – Und wenn ich aus dem Freien wieder in den Tempel trete und das Gemälde von Christo am Kreuze mit Ernst und Innigkeit betrachte; so sehe ich wiederum eine andre ganz eigene Welt Gottes vor mir hervorgehen und fühle auf andre, eigene Weise sich große Dinge in meinem Inneren erheben. –
Die Kunst stellet uns die höchste menschliche Vollendung dar. Die Natur, soviel davon ein sterbliches Auge sieht, gleichet abgebrochenen Orakelsprüchen aus dem Munde der Gottheit. Ist es aber erlaubt, also von dergleichen Dingen zu reden, so möchte man vielleicht sagen, daß Gott wohl die ganze Natur oder die ganze Welt auf ähnliche Art wie wir ein Kunstwerk ansehen möge.

Von den Seltsamkeiten des alten Malers Piero di Cosimo aus der Florentinischen Schule

Die Natur, die ewig emsige Arbeiterin, fertigt mit immer geschäftigen Händen Millionen Wesen alles Geschlechtes und wirft sie ins irdische Leben hinein. Mit leichtem, spielendem Scherze mischt sie, ohne hinzusehn, die Stoffe, wie sie sich nun schicken mögen, auf mannigfache Weise zusammen und überläßt ein jedes Wesen, das ihrer Hand entfällt, seiner Lust und seiner Qual. Und ebenso wie sie manchmal in den Reichen des Leblosen mutwillig seltsame und monströse Gestalten unter die Menge wirft, so bringt sie auch unter den Menschen alle Jahrhunderte einige Seltenheiten hervor, welche sie zwischen Tausende gewöhnlicher Art versteckt. Aber diese seltsamen Geister vergehen gleich den allergemeinsten: die wißbegierige Nachwelt sammelt aus Schriften die einzeln gestammelten Laute zusammen, die sie uns schildern sollen: allein wir gewinnen kein faßliches Bild und lernen sie niemals völlig verstehen. Konnten doch auch die, welche sie mit Augen sahen, sie nicht völlig begreifen, ja sie begriffen sich selber kaum. Wir können sie, wie im Grunde alles in der Welt, nur bloß mit *leerer Verwunderung* betrachten. –

Diese Gedanken sind bei mir rege geworden, indem ich in den Historien der alten Maler auf den wunderbaren *Piero di Cosimo* gestoßen bin. Die Natur hatte sein Inneres mit einer immer gärenden Phantasie erfüllt und seinen Geist mit schweren und düstern Gewitterwolken bezogen, so daß sein Gemüt immer in unruhiger Arbeit war und unter ausschweifenden Bildern umhertrieb, ohne jemals sich in einfacher und heiterer Schönheit zu spiegeln. Alles an ihm war außerordentlich und ungewöhnlich; die alten Schriftsteller wissen nicht kräftige Worte genug zusammenzuhäufen, um uns einen Begriff von dem Unmäßigen und Ungeheuren in seinem ganzen Wesen zu geben. Und doch finden wir bei ihnen nur wenige einzelne, zum Teil sogar unerheblich scheinende Züge aufgezeichnet, welche uns den Abgrund seiner Seele keineswegs gründlich kennen lehren noch zu einem vollendeten, harmonischen Bilde zusammenfließen; aus welchen wir aber dennoch das Tieferliegende wohl ohngefähr ahnden können.

Piero di Cosimo trug schon in seiner Jugend einen lebendigen, immer beweglichen Geist und eine überfüllte Einbildungskraft in sich herum, wodurch er sich früh vor seinen Mitschülern auszeichnete. Seine Seele erfreute sich nie, still auf *einem* Gedanken oder *einem*

Bilde zu ruhen; immer zog ein Schwarm von fremden, seltsamen Ideen durch sein Gehirn und entrückte ihn aus der Gegenwart. Manchmal, wenn er bei der Arbeit saß und dabei zugleich etwas erzählte oder auseinandersetzte, hatte ihn seine immer für sich allein umhertummelnde Phantasie unvermerkt auf so entlegene Höhen entführet, daß er auf einmal stockte, der Zusammenhang der gegenwärtigen Dinge sich vor seinen Augen verwirrte und er alsdann seine Rede wieder von vorn anheben mußte. Menschliche Gesellschaft war ihm zuwider; am besten gefiel er sich in einer trüben Einsamkeit, wo er in sich gekehrt seine umherschweifenden Einbildungen verfolgte, wohin sie ihn führten. Immer war er allein in einem verschlossenen Gemach und führte eine ganz eigene Lebensart. Er nährte sich mit immer gleicher, einförmiger Speise, die er sich selber, zu jeder Zeit des Tages, da er Lust hatte, bereitete. Er litt nicht, daß sein Zimmer gereinigt ward; auch widersetzte er sich gegen das Beschneiden der Fruchtbäume und Rebstöcke in seinem Garten; denn er wollte überall die wilde, gemeine und ungesäuberte Natur sehen und hatte seine Lust an dem, was andern Sinnen zuwider ist. So hatte er auch einen geheimen Reiz, bei allen Mißgeburten in der physischen Natur, bei allen monströsen Tieren und Pflanzen lange zu verweilen; er sah sie mit unverrückter Aufmerksamkeit an, um ihre Häßlichkeit recht zu genießen; er wiederholte sich ihr Bild nachher immerfort in Gedanken und konnte es, so widrig es ihm auch am Ende ward, nicht aus dem Kopf bringen. Von solchen mißgeschaffenen Dingen hatte er nach und nach mit der schärfsten Emsigkeit ein ganzes Buch zusammengezeichnet. Oft auch heftete er seine Augen starr auf alte, befleckte, buntfärbige Mauern oder auf die Wolken am Himmel, und seine Einbildung ergriff aus allen solchen Spielen der Natur mancherlei abenteuerliche Ideen zu wilden Schlachten mit Pferden oder zu großen Gebirgslandschaften mit fremdartigen Städten. – Große Freude empfand er an einem recht heftigen Platzregen, der von den Dächern herab prasselnd auf das Pflaster stürzte; – dagegen fürchtete er sich wie ein Kind vor dem Donner und hüllte sich, wenn ein Gewitter am Himmel tobte, eng in seinen Mantel ein, verschloß die Fenstern und kroch in einen Winkel des Hauses, bis es vorüber war. Halb verrückt machte ihn das Schreien kleiner Kinder, das Glockengeläut und das Singen der Mönche. – In seinen Reden war er bunt und außerordentlich; ja, zuweilen sagte er so vortrefflich-komische Sachen, daß die es hörten, sich vor Lachen nicht halten konnten. In Summa, er war so beschaffen, daß die Leute seiner Zeit ihn für einen höchst verwirrten und beinahe wahnsinnigen Kopf ausgaben.

Sein Geist, der unaufhörlich wie siedendes Wasser im Kessel kochte und Schaum und Blasen auftrieb, hatte ganz vorzügliche Gelegenheit, sich bei den Mummereien und mutwilligen Aufzügen, welche zur Zeit des Carnavals in Florenz gehalten wurden, in allerhand neuen und fremden Erfindungen zu zeigen, so daß diese Festlichkeit durch ihn erst eigentlich das ward, was sie vorher nie gewesen war. Unter allen den außerordentlichen und vielbewunderten feierlichen Aufzügen aber, welche er anordnete, zeichnete sich einer so besonders und eigen aus, daß wir eine kurze Erzählung davon hersetzen wollen. Die Veranstaltungen dazu waren insgeheim gemacht, und ganz Florenz ward also dadurch auf das äußerste überrascht und erschüttert.

In der bestimmten Nacht nämlich, indem das Volk, der ausgelassensten Freude preisgegeben, jauchzend in den Straßen der Stadt umherschwärmte – ward der Haufen auf einmal vor Schrecken auseinandergesprengt und sah sich mit Bestürzung und Erstaunen um. Es näherte sich durch die dämmernde Nacht, schwer und langsam, ein schwarzer, ungeheurer Wagen, von vier schwarzen Büffeln gezogen und mit Totenbeinen und weißen Kreuzen bezeichnet – und auf dem Wagen stolzierte eine mächtig-große Siegergestalt des *Todes*, mit der fürchterlichen Sense bewaffnet, zu deren Füßen lauter Särgc auf dem Wagen herumstanden. Aber der langsame Zug hielt an: – und bei dem dumpfen Dröhnen von seltsamen Hörnern, deren banger, schauerlicher Ton Mark und Gebein durchzitterte – und bei dem zauberhaften Schein entfernter Fackeln – stiegen – wobei alles Volk von einem stillen Grauen ergriffen ward – aus den sich öffnenden Särgen, langsam, weiße Gerippe mit halbem Leibe hervor, setzten sich auf den Sarg und erfüllten die Luft mit einem finstern, hohlen Gesange, der, von den Hörnertönen durchmischt, das Blut in den Adern gerinnen machte. Sie sangen darin von den Schrecknissen des Todes und daß alle, die jetzt lebendig sie anschauten, bald auch solche Knochengestalten sein würden wie sie. Rings um den Wagen herum und hinter dem Wagen drängte sich ein großer, verworrener Troß von Toten, mit Larven gleich Totenschädeln auf dem Haupt, schwarz behangen, mit weißen Gebeinen und weißen Kreuzen bezeichnet und auf hageren Pferden sitzend – und jeglicher hatte ein Gefolge von vier andern schwarzen Reitern, mit Fackeln und einer ungeheuren schwarzen Fahne mit Totenschädeln und Gebeinen und weißen Kreuzen bezeichnet; – auch von dem Wagen schleppten zehn große schwarze Fahnen herunter; – und während des langsam-schleichenden Zuges sang das ganze Totenheer mit dumpf-bebender Stimme einen Psalm Davids ab. –

Es ist sehr merkwürdig, daß dieser unerwartete Totenaufzug, soviel Schrecken er auch anfangs verbreitete, doch von ganz Florenz mit dem größten Wohlgefallen betrachtet ward. Schmerzliche und widrige Empfindungen greifen mit Macht durch die Seele, halten sie fest und *zwingen* sie gleichsam zur Teilnahme und zum Behagen; und wenn sie überdies mit einem gewissen *poetischen Schwunge* die Phantasie anfallen und aufregen, so können sie das Gemüt in einer hohen und begeisterten Spannung erhalten. Daneben möcht ich auch noch sagen, daß solchen ausgezeichneten Geistern, wie dieser Piero di Cosimo war, vom Himmel eine wunderbare geheime Gewalt eingepflanzt zu sein scheinet, durch die fremden und außerordentlichen Dinge, welche sie tun, die Köpfe, auch des gemeinen großen Haufens, einzunehmen. –

Obwohl Piero von seiner unruhigen finstern Phantasie unaufhörlich geneckt, umhergejagt und ermüdet ward, so hatte der Himmel ihm doch ein hohes Alter beschieden; ja, wie er dem achtzigsten Jahre nahekam, ward sein Geist von immer wilderen Phantastereien verfolgt. Er quälte sich bei der großen körperlichen Schwäche und allem Elend des Alters dennoch immer für sich allein und wies alle Gesellschaft und mitleidige Hülfe ungestüm von sich. Dann wollte er noch arbeiten und konnte doch nicht, weil ihm die Hände gelähmt waren und beständig zitterten; dann kam er in die äußerste Bosheit und wollte seinen Händen Gewalt antun; aber indem er so ergrimmt für sich murmelte, fiel ihm wieder der Malerstock oder gar der Pinsel auf die Erde, daß es ein Jammer anzusehen war. Er konnte sich mit dem Schatten zanken und über eine Fliege in Zorn geraten. Daß er seinem Ende nahe wäre, wollte er noch immer nicht glauben. Er redete sehr viel davon, was es für ein Elend sei, wenn eine langsame Krankheit mit tausend Martern den Körper recht nach und nach aufzehre, daß ein Blutstropfen nach dem andern absterbe. Er fluchte auf Ärzte, Apotheker und Krankenwärter und beschrieb, was es fürchterlich sei, wenn einem nicht Speise, nicht Schlaf gegönnt werde, wenn man sein Testament machen müßte, wenn man die Anverwandten um das

Bett herum weinen sähe. Dagegen pries er denjenigen glücklich, der auf dem Hochgericht mit *einem* Streich aus der Welt gehe; und was es schön wäre, vor so vielem Volk und unter den Tröstungen und Gebeten des Priesters und den Fürbitten von Tausenden zu den Engeln im Paradiese hinaufzusteigen. In solchen Gedanken schwärmte er unaufhörlich fort: – bis man endlich eines Morgens, ganz unerwartet, ihn unten an der Treppe in seinem Hause tot liegend fand. –
Dies sind die sonderbaren Züge von dem Geiste dieses Malers, welche ich dem *Giorgio Vasari* treulich nacherzählt habe. Was ihn als Maler betrifft, so berichtet uns derselbe Autor von ihm, daß er am liebsten wilde Bacchanale und Orgia, fürchterliche Ungeheuer oder sonst irgend schreckhafte Vorstellungen gemalt habe; rühmt ihn indes wegen des höchst mühseligen und eigensinnigen Fleißes in seinen Bildern. Wie denn derselbe Vasari, in dem Leben eines andern ebenfalls schwermütigen Malers*, die Bemerkung macht, daß dergleichen tiefsinnige und melancholische Geister sich oftmals durch eine besondere, eiserne Geduld und Emsigkeit im Arbeiten auszuzeichnen pflegten.
Dem sei nun wie ihm wolle, so kann ich nicht glauben, daß dieser *Piero di Cosimo* ein wahrhaft-echter Künstlergeist gewesen sei. Ich finde zwar eine gewisse Übereinstimmung zwischen ihm und dem großen *Leonardo da Vinci* (welchen jener auch in der Malerei sich zum Muster nahm); denn beide wurden von einem immer lebendigen, vielsinnigen Geiste umhergetrieben – jener aber in finstre Wolkenregionen der Luft – dieser unter die ganze wirkliche Natur und unter das ganze Gewimmel der Erde.
Der Künstlergeist soll, wie ich meine, nur ein brauchbares Werkzeug sein, die ganze Natur in sich zu empfangen, und, mit dem Geiste des Menschen beseelt, in

* Nämlich des Florentiners Giovanni Antonio Sogliani.

schöner Verwandlung wiederzugebären. Ist er aber aus innerem Instinkte und aus überflüssiger, wilder und üppiger Kraft ewig für sich in unruhiger Arbeit, so ist er nicht immer ein geschicktes Werkzeug – vielmehr möchte man dann ihn selber eine Art von Kunstwerk der Schöpfung nennen.

In dem tobenden und schäumenden Meere spiegelt sich der Himmel nicht; – der klare Fluß ist es, worin Bäume und Felsen und die ziehenden Wolken und alle Gestirne des Firmamentes sich wohlgefällig beschauen. –

Wie und auf welche Weise man die Werke der großen Künstler der Erde eigentlich betrachten und zum Wohl seiner Seele gebrauchen müsse

Immerfort höre ich die kindische und leichtsinnige Welt klagen, daß Gott nur *so wenige* recht große Künstler auf die Erde gesetzt habe; ungeduldig starrt der gemeine Geist in die Zukunft, ob der Vater der Menschen nicht bald einmal ein neues Geschlecht von hervorglänzenden Meistern werde auferstehen lassen. Ich sage euch aber, es hat die Erde der vortrefflichen Meister nicht zu wenige getragen; ja es sind ihrer einige so beschaffen, daß ein sterbliches Wesen sein ganzes Leben hindurch an einem einzelnen zu schauen und zu begreifen hat; aber wahrlich! viel, viel zu wenige sind derer, welche die Werke dieser (aus edlerem Tone geformten) Wesen innig zu verstehen und (was dasselbe ist) inniglich zu verehren imstande sind.

Bildersäle werden betrachtet als Jahrmärkte, wo man neue Waren im Vorübergehen beurteilt, lobt und verachtet; und es sollten Tempel sein, wo man in stiller

und schweigender Demut und in herzerhebender Einsamkeit die großen Künstler, als die höchsten unter den Irdischen, bewundern und mit der langen, unverwandten Betrachtung ihrer Werke in dem Sonnenglanze der entzückendsten Gedanken und Empfindungen sich erwärmen möchte.
Ich vergleiche den Genuß der edleren Kunstwerke dem *Gebet*. Der ist dem Himmel nicht wohlgefällig, welcher zu ihm redet, um nur der täglichen Pflicht entledigt zu werden, Worte ohne Gedanken herzählt und seine Frömmigkeit prahlend nach den Kugeln seines Rosenkranzes abmißt. Der aber ist ein Liebling des Himmels, welcher mit demütiger Sehnsucht auf die auserwählten Stunden harrt, da der milde himmlische Strahl freiwillig zu ihm herabfährt, die Hülle irdischer Unbedeutendheit, mit welcher gemeiniglich der sterbliche Geist überzogen ist, spaltet und sein edleres Innere auflöst und auseinanderlegt; dann kniet er nieder, wendet die offene Brust in stiller Entzükkung gegen den Himmelsglanz und sättiget sie mit dem ätherischen Licht; dann steht er auf, froher und wehmütiger, volleren und leichteren Herzens, und legt seine Hand an ein großes gutes Werk. – Das ist die wahre Meinung, die ich vom Gebet hege.
Ebenso nun, meine ich, müsse man mit den Meisterstücken der Kunst umgehen, um sie würdiglich zum Heil seiner Seele zu nutzen. Es ist frevelhaft zu nennen, wenn jemand in einer irdischen Stunde von dem schallenden Gelächter seiner Freunde hinwegtaumelt, um in einer nahen Kirche aus Gewohnheit einige Minuten mit Gott zu reden. Ein ähnlicher Frevel ist es, in einer solchen Stunde die Schwelle des Hauses zu betreten, wo die bewundernswürdigsten Schöpfungen, die von *Menschen*händen hervorgebracht werden konnten, als eine stille Kundschaft von der Würde dieses Geschlechtes für die Ewigkeit aufbewahret werden. Harret, wie beim Gebet, auf die seligen Stunden,

da die Gunst des Himmels euer Inneres mit höherer Offenbarung erleuchtet; nur dann wird eure Seele sich mit den Werken der Künstler zu *einem* Ganzen vereinigen. Ihre Zaubergestalten sind stumm und verschlossen, wenn ihr sie kalt anseht; euer Herz muß sie *zuerst* mächtiglich anreden, wenn sie sollen zu euch sprechen und ihre ganze Gewalt an euch versuchen können.

Kunstwerke passen in ihrer Art so wenig als der Gedanke an Gott in den gemeinen Fortfluß des Lebens; sie gehen über das Ordentliche und Gewöhnliche hinaus, und wir müssen uns mit vollem Herzen zu ihnen erheben, um sie in unsern von den Nebeln der Atmosphäre allzu oft getrübten Augen zu dem zu machen, was sie, ihrem hohen Wesen nach, sind.

Buchstaben lesen kann ein jeglicher lernen; von gelehrten Chroniken kann ein jeglicher sich die Historien vergangener Zeiten erzählen lassen und sie wieder erzählen; auch kann ein jeglicher das Lehrgebäude einer Wissenschaft studieren und Sätze und Wahrheiten fassen; – denn, Buchstaben sind nur dazu da, daß das Auge ihre Form erkenne; und Lehrsätze und Begebenheiten sind nur so lange ein Gegenstand unsrer Beschäftigung, als das Auge des Geistes daran arbeitet, sie zu fassen und zu erkennen; sobald sie unser eigen sind, ist die Tätigkeit unsers Geistes zu Ende, und wir weiden uns dann nur, sooft es uns behagt, an einem trägen und unfruchtbaren Überblick unsrer Schätze. – Nicht also bei den Werken herrlicher Künstler. Sie sind nicht darum da, daß das Auge sie sehe; sondern darum, daß man mit entgegenkommendem Herzen in sie hineingehe und in ihnen lebe und atme. Ein köstliches Gemälde ist nicht ein Paragraph eines Lehrbuchs, den ich, wenn ich mit kurzer Mühe die Bedeutung der Worte herausgenommen habe, als eine unnütze Hülse liegenlasse: vielmehr währt bei vortrefflichen Kunstwerken der Genuß immer, ohne Aufhören, fort. Wir glauben immer tiefer in sie einzudringen, und dennoch regen sie unsere Sinne immer von neuem auf, und wir sehen keine Grenze ab, da unsre Seele sie erschöpft hätte. Es flammt in ihnen ein ewig brennendes Lebensöl, welches nie vor unsern Augen verlischt.

Mit Ungeduld fliege ich über den ersten Anblick hinweg; denn die Überraschung des Neuen, welche manche nach immer abwechselnden Vergnügungen haschende Geister wohl zum Hauptverdienste der Kunst erklären wollen, hat mir von jeher ein notwendiges Übel des ersten Anschauens geschienen. Der echte Genuß erfordert eine stille und ruhige Fassung des Gemüts und äußert sich nicht durch Ausrufungen und Zusammenschlagen der Hände, sondern allein durch innere Bewegungen. Es ist mir ein heiliger Feiertag, an welchem ich mit Ernst und mit vorbereitetem Gemüt an die Betrachtung edler Kunstwerke gehe; ich kehre oft und unaufhörlich zu ihnen zurück, sie bleiben meinem Sinne fest eingeprägt, und ich trage sie, solange ich auf Erden wandle, in meiner Einbildungskraft, zum Trost und zur Erweckung meiner Seele, gleichsam als geistige Amulette mit mir herum und werde sie mit ins Grab nehmen.

Wessen feinere Nerven einmal beweglich und für den geheimen Reiz, der in der Kunst verborgen liegt, empfänglich sind, dessen Seele wird oft da, wo ein anderer gleichgültig vorübergeht, innig gerührt; er wird des Glückes teilhaftig, in seinem Leben häufigere Anlässe zu einer heilsamen Bewegung und Aufregung seines Inneren zu finden. Ich bin mir bewußt, daß öfters, wenn ich (mit anderen Gedanken beschäftigt) durch irgendein schönes und großes Säulenportal ging, die mächtigen, majestätischen Säulen mit ihrer lieblichen Erhabenheit unwillkürlich meine Blicke zu sich wendeten und mein Inneres mit einer eigenen Empfindung erfüllten, daß ich mich innerlich vor ihnen beugte und

mit aufgelöstem Herzen und mit reicherer Seele weiterging.
Das Hauptsächlichste ist, daß man nicht mit verwegenem Mut über den Geist erhabener Künstler sich hinwegzuschwingen und, auf sie herabsehend, sie zu richten sich vermesse: ein törichtes Unternehmen des eiteln Stolzes der Menschen: Die *Kunst* ist *über* dem Menschen: wir können die herrlichen Werke ihrer Geweiheten nur bewundern und verehren und, zur Auflösung und Reinigung aller unsrer Gefühle, unser ganzes Gemüt vor ihnen auftun.

Die Größe des Michelangelo Buonarroti

Wohl ein jeglicher Mensch, der ein fühlendes und liebendes Herz in seiner Brust trägt, hat im Reiche der Kunst irgendeinen besondern Lieblingsgegenstand; und so habe auch ich den meinigen, zu welchem mein Geist sich oft unwillkürlich, wie die Sonnenblume zur Sonne, hinwendet. Denn öfters, wenn ich in meiner Einsamkeit betrachtend dasitze, so ist es, als stände hinter mir ein guter Engel, der mir unversehens die Säkula der alten Maler von Italien wie ein großes, fruchtreiches episches Gedicht mit einer gedrängten Schar lebendiger Figuren vor meinen Augen aufsteigen ließe. Immer von neuem zeigt sich mir diese herrliche Erscheinung, und immer von neuem wird mein Blut dabei auf das innigste erwärmt. Es ist doch eine köstliche Gabe, die der Himmel uns verliehen hat, zu lieben und zu verehren; dieses Gefühl schmelzt unser ganzes Wesen um und bringt das wahre Gold daraus zutage.
Mein Blick fällt diesmal auf den großen *Michelangelo Buonarroti*, einen Mann, über welchen schon so man-

cher seine unbehülfliche Verwunderung oder seinen vorwitzigen Hohn und Tadel vorgebracht hat. Ich kann aber nicht mit vollerem Herzen von ihm zu reden anheben, als es sein Freund und Landsmann *Giorgio Vasari* in dem Eingange zu seiner Lebensbeschreibung getan hat, welcher von Wort zu Wort also lautet:

»Während daß so viele sinnreiche und vortreffliche Köpfe, nach den Vorschriften des berühmten Giotto und seiner Nachfolger, der Welt Proben von dem Talente zu zeigen strebten, welches durch den wohltätigen Einfluß der Gestirne und durch die glückliche Komplexion ihrer Geisteskräfte in ihrem Innern erzeugt war, und sich alle beeiferten, durch die Vortrefflichkeit der Kunst die Herrlichkeit der Natur nachzuahmen, um so viel möglich den höchsten Gipfel der Wissenschaft, welchen man wohl ausschließlich ›Erkenntnis‹ nennen mag, zu erreichen, obwohl all ihr Ringen vergeblich war; – unterdessen wandte der gütige Regierer aller Dinge sein Auge gnädiglich auf die Erde hin, und indem er nun wahrnahm all die eitle Anstrengung so unendlich vieler mühseliger Versuche, die unablässig-heiße Lernbegier ohne die geringsten Früchte, und die eingebildeten Meinungen der Menschen, so entfernt von der Wahrheit als Finsternis vom Licht; – da beschloß er, um uns aus solchen Irrtümern zu reißen, einen Geist auf die Erde herabzuschicken, welcher durchaus, in jeglichem Teile aller Kunst, durch eigene Kraft sollte Meister werden. Er sollte der Welt ein Vorbild aufstellen, was Vollkommenheit sei in der Kunst des Zeichnens, der Umrisse und der Lichter und Schatten (welche den Bildern die Ründung geben) und wie man als Bildhauer mit Einsicht arbeiten müsse und auf welche Weise man Gebäuden Festigkeit, Bequemlichkeit, schöne Verhältnisse, Annehmlichkeit und Reichtum an allerlei Zieraten der Baukunst zu geben habe. Überdas aber wollte der

Himmel ihm die wahre Tugendweisheit zur Begleitung und die süße Kunst der Musen zur Zierde geben, auf daß die Welt ihn vor allen bewundern und erwählen sollte zum Spiegel und Muster im Leben, in Werken, in Heiligkeit der Sitten, ja in allem irdischen Wandel, und er von uns viel mehr für ein himmlisches Wesen als für ein irdisches geachtet werden möchte. Und weil Gott sah, daß in jenen besondern Künsten, nämlich der Maler-, Bildhauer- und Baukunst, als in Dingen von so vieler Emsigkeit und Übung, die Eingebornen des toskanischen Gebietes seit jeher unter allen sich vornehmlich hervorgetan haben und meisterlich geworden sind (denn sie sind zu Anstrengung und eifriger Geistesarbeit jeder Art vor allen andern Nationen Italiens vorzüglich geneigt) – so wollte er ihm *Florenz* als die würdigste Stadt von allen zur Heimat anweisen, damit die verdiente Krone aller Tugenden ihm von einem Mitbürger aufs Haupt gesetzt werden könnte.« –
Mit solcher Verehrung redet der alte Vasari von dem großen Michelangelo und drängt am Ende seine allgemeine Bewunderung auf eine schöne und menschliche Weise in ein herzliches patriotisches Gefühl zusammen und freut sich inniglich, daß dieser Mann, den er wie einen Herkules unter den Helden der Kunst verehrt, mit ihm denselben kleinen Raum der Erde zur Heimat gehabt hat. Er beschreibt das Leben des Buonarroti am allerausführlichsten und tut oft recht gutmütigstolz darauf, daß er seiner vertrautesten Freundschaft genossen.
Doch wir wollen uns nicht an dem bloßen Anstaunen dieses großen Mannes begnügen, sondern vielmehr in seinen inneren Geist hineingehen, uns in den eigentümlichen Charakter seiner Werke hineinschmiegen. Es ist nicht genug, ein Kunstwerk zu loben: »es ist *schön* und *vortrefflich*«, denn diese allgemeinen Redensarten gelten auch von den verschiedenartigsten Werken; –

wir müssen uns jedem großen Künstler hingeben, mit *seinen* Organen die Dinge der Natur anschauen und ergreifen und in *seiner* Seele sprechen können: »Das Werk ist in seiner Art *richtig* und *wahr.*«

Die Malerei ist eine Poesie mit Bildern der Menschen. So wie nun die Poeten ihre Gegenstände mit ganz verschiedenen Empfindungen beseelen, je nachdem ihnen vom Schöpfer ein verschiedener Geist eingehaucht ist, so auch in der Malerei. Einige Dichter beleben ihr ganzes Werk innerlich mit einer stillen und geheimen poetischen Seele; bei andern aber bricht die überfließende, üppige dichterische Kraft in jedem Momente der Darstellung hervor.

Dies ist dieselbe Verschiedenheit, welche ich zwischen dem göttlichen Raffael und dem großen Buonarroti finde: jenen möchte ich den Maler des Neuen, diesen des Alten Testamentes nennen; denn auf jenem – ich wage den kühnen Gedanken auszusprechen – ruhet der stille göttliche Geist Christi – auf diesem der Geist der inspirierten Propheten, des Moses und der übrigen Dichter des Morgenlandes. Hier ist nichts *zu loben und zu tadeln*, sondern ein jeglicher ist, was er ist.

So wie die inspirierten orientalischen Dichter von der inwohnenden, mit Gewalt sich regenden himmlischen Kraft zu außerordentlichen Phantasien getrieben wurden und aus innerlichem Drange die Worte und Ausdrücke der irdischen Sprache durch lauter feurige Bilder gleichsam in die Höhe zwangen; so ergriff auch die Seele des Michelangelo immer mit Macht das Außerordentliche und Ungeheure und drückte in seinen Figuren eine angespannte, übermenschliche Kraft aus. Er versuchte sich gern an erhabenen, furchtbaren Gegenständen; er wagte in seinen Bildern die kühnsten und wildesten Stellungen und Gebärden; er drängte Muskeln auf Muskeln und wollte in jede Nerve seiner Figuren die hohe poetische Kraft stempeln, wovon er erfüllt war. Er ergründete das innerliche Triebwerk der Menschenmaschine bis in die verborgensten Wirkungen; er spürte die härtesten Schwierigkeiten in der Mechanik des menschlichen Körpers auf, um sie zu bekämpfen und um die üppige Fülle seiner Geisteskraft auch in den körperlichen Teilen der Kunst auszulassen und zu befriedigen: – grade so wie Dichter, in denen ein nicht zu löschendes lyrisches Feuer brennt, sich an großen und ungeheuren *Ideen* nicht genügen, sondern vornehmlich auch in dem sichtbaren, sinnlichen Werkzeuge ihrer Kunst, in Ausdruck und Worten, ihre kühne und wilde Stärke abzudrücken streben. Die Wirkung ist, an beiden Orten, groß und herrlich: der innere Geist des Ganzen leuchtet dann auch aus jedem der einzelnen äußeren Teile hervor. –

Also erscheint mir der vielbeurteilte Buonarroti, und wer ihn in dieser Gestalt unter den alten Malern ins Auge faßt, der mag wohl mit Erstaunen und Bewunderung fragen: Wer malte vor ihm wie er? Woher nahm er die ganz neue Größe, von welcher vorher kein Auge jemals wußte? Und wer hat ihn auf die vorher unbekannten Wege gebracht?

Es ist in der Welt der Künstler gar kein höherer, der Anbetung würdigerer Gegenstand als: – ein ursprünglich Original! – Mit emsigem Fleiße, treuer Nachahmung, klugem Urteil zu arbeiten – ist *menschlich*; aber das ganze Wesen der Kunst mit einem ganz neuen Auge zu durchblicken, es gleichsam mit einer ganz neuen Handhabe zu erfassen – ist *göttlich*.

Indessen ist es das Schicksal der Originale, eine elende Schar von Nachbetern hervorzubringen, und Michelangelo weissagte dies von sich selber, wie es nachmals zutraf. Ein Original schwingt sich mit einem kühnen Sprunge auf einmal bis an die Grenze des Kunstgebiets, steht kühn und fest da und zeigt das Außerordentliche und Wundervolle. Es gibt aber für den blöden Geist des Menschen fast nichts Außerordent-

liches und Wundervolles, an dessen Grenze nicht ganz nahe Torheit und Abgeschmacktheit läge. Die jämmerlichen Nachbeter, denen die eigene Kraft zum festen Stande mangelt, irren blind umher, und was sie nachbilden, ist, wenn es mehr als schwaches Schattenbild sein soll, verzerrte Übertreibung.
Die Zeit des Michelangelo, die Anfangsepoche der italienischen Malerei, ist überhaupt allein das Zeitalter der Maleroriginale. Wer malte vor Correggio wie Correggio? vor Raffael wie Raffael? – Allein es ist, als wenn die allzu freigebige Natur in dieser Zeit sich an Kunstgenie arm geschenkt hätte; denn die besten späteren Meister, bis auf die neuesten Zeiten, haben fast alle kein anders Ziel gehabt, als irgendeinen der ersten Ur- und Normalkünstler, oder auch gar mehrere zusammen, nachzuahmen, und sind auch nicht leicht auf andre Weise groß geworden, als indem sie *vortrefflich nachgeahmt* haben. Selbst der hohe und wohlverdiente Ruhm, welchen die Reformatorschule der Caracci sich erworben hat, ist auf kein anderes Verdienst gegründet, als daß sie die in Verfall geratene Nachahmung jener alten Ahnherren durch würdige Beispiele wieder in die Höhe brachte. Und wen ahmten jene Ahnherren selber nach? Sie schöpften die ganze neue Herrlichkeit aus sich selber.

Brief eines jungen deutschen Malers in Rom an seinen Freund in Nürnberg

Teurer Bruder und Genosse,

lange ist es schon, ich weiß es wohl, daß ich Dir nicht geschrieben habe, sooft ich auch mit inniger Liebe an Dich dachte; denn es gibt Stunden im Leben, in denen

den beflügelten Gedanken alles Äußere zu lang
vonstatten geht, wo die Seele sich selbst mit Vorst
lungen abarbeitet und eben deswegen äußerlich nichts
geschieht. Eine solche Epoche habe ich jetzt erlebt, und nun, da ich innerlich wieder etwas zur Ruhe bin, nehme ich auch sogleich die Feder, um Dir, geliebter Sebastian, meinem wertesten Jugendfreunde, zu berichten, wie es mir ergangen und was sich mit mir zugetragen hat.

Soll ich Dir weitläuftig schreiben, wie das gelobte Land Italia beschaffen sei, und mich in unzusammenhängende Bewunderungen ergießen? Es finden da keine Worte ihren rechten Platz, denn wie mag ich, der Sprache so ganz unkundig, Dir den hellen Himmel, die weiten paradiesischen Aussichten, durch die die erquickende Luft spielend ziehet, würdig darstellen? Weiß ich doch kaum in meinem eigentümlichen Handwerke Farben und Striche aufzufinden, um das, was ich innerlich sehe und fasse, auf die Leinwand hinzuzeichnen.

So verschieden aber auch alles hier sein mag, was Himmel und Erde betrifft, so läßt es sich doch noch eher ahnden und glauben als dasjenige, was ich Dir von der Kunst zu sagen habe. Ihr mögt da in Deutschland fleißig zusammen malen, lieber Sebastian, Du und unser überaus teurer Lehrer Albrecht Dürer; aber wenn ihr hieher plötzlich verschlagen würdet, so würdet ihr wahrlich wie zwei Gestorbene sein, die sich im Himmel noch nicht zurechtzufinden wissen. Da seh ich in Gedanken den künstlichen Meister Albrecht auf seinem Schemel sitzen und mit einer kindischen, fast rührenden Emsigkeit an einem feinen Stückchen Holze schnitzeln, wie er die Erfindung und Ausführung wohl überlegt und das angefangene Kunststück zu wiederholten Malen betrachtet; ich sehe seine weite ausgetäfelte Stube und die runden Scheiben und Dich mit dem unermüdlichen getreuen Fleiße vor einer Kopei, wie die jüngern Schüler ab- und zugehen und der Meister Dürer manches kluge und manches lustige Wort fallen läßt; dann sehe ich unsre Hausfrau hereintreten oder den wohlberedten Willibald Pirckheimer, der die Gemälde und Zeichnungen betrachtet und mit Albrecht einen lebhaften Disput anfängt; – und wenn ich mir dies alles eigentlich in meinen Gedanken vorstelle, so kann ich ordentlich nicht recht begreifen, wie ich hieher gekommen bin und wie hier alles so anders ist.

Erinnerst Du Dich noch der Zeit, als wir zuerst bei unserm Meister in die Lehre gegeben wurden und wir es gar nicht begreifen konnten, daß aus den Farben, die wir rieben, ein Gesicht oder ein Baum hervorgehen sollte? Mit welchem Erstaunen betrachteten wir dann den Meister Albrecht, der immer alles so wohl anzuwenden wußte und nie über die Ausführung seiner größten Sachen in Verlegenheit kam! Ich war oft wie im Traum, wenn ich aus der Malerstube ging, um ihm Wein oder Brot einzukaufen, und ich meinte sogar in manchen Stunden, wenn alle die übrigen unkünstlichen Menschen, Handwerker oder Bauern, an mir vorübergingen, er müsse wohl gar ein Zauberer sein, daß sich das Leblose so auf seinen Ruf zurechtfinde und gleichsam lebendig werde.

Aber was würde ich erst gesagt oder gefühlt haben, hätte man mir damals die verklärten Angesichter Raffaels vor die kindischen Augen gehalten? Ach, lieber Sebastian, wenn ich sie verstanden hätte, so wäre ich gewiß in meine Knie gesunken und hätte meine ganze junge Seele in Andacht, Tränen und Anbetung aufgelöst; denn bei unserm großen Dürer findet man doch noch das Irdische heraus, man begreift es doch, wie ein künstlicher und wohlgeübter Mann auf diese Gesichter und Erfindungen verfallen konnte; – wenn wir recht mit den Augen in das Gemälde einwurzeln, so können wir fast die gefärbten Figuren wieder vertrei-

ben und das leere, einfache Brett darunter entdecken: – aber bei *diesem* Meister, mein Teurer, ist alles so wunderbar eingerichtet, daß Du ganz vergissest, daß es Farben und eine Malerkunst gibt, und Dich nur innerlich vor den himmlischen und doch so herzmenschlichen Gestalten mit der wärmsten Liebe demütigst und ihnen Dein Herz und Deine Seele zueignest. – Glaube nicht, daß ich aus jugendlichem Eifer übertreibe; Du kannst es Dir nicht vorstellen und nicht fassen, wenn Du nicht selber kommst und siehst.
Überhaupt, lieber Sebastian, ist diese Erde durch die Kunst ein gar herrlicher und lieblicher Aufenthalt; ich habe es erst jetzt empfunden, wie ein unsichtbares Wesen in unserm Herzen wohnt, das allgewaltig von den großen Kunstwerken angezogen wird. – Und wenn ich Dir alles gestehen soll, mein teurer Jugendfreund (wie ich es denn muß, denn ich fühle mich mit Gewalt dazu hingezogen), so liebe ich jetzt ein Mädchen, die meinem Herzen über alles geht, und ich werde von ihr wiedergeliebt. Mein Sinn taumelt also in einem ewigen Frühlingsglanze umher, und ich möchte in manchen Stunden des Entzückens sagen, daß die Welt und die Sonne des Himmels ihren Glanz von mir erborgten, wenn es nicht zu frech wäre, seine Freude auf diese Art aussprechen zu wollen. Mit inniger Rührung habe ich seit lange ihre Züge in den besten Gemälden aufgesucht und sie immer bei meinen liebsten Meistern gefunden. Ich bin mit ihr verlobt, und in wenigen Tagen werden wir unsre Hochzeit feiern; Du siehst also, daß ich nicht Lust habe, nach unserm Deutschlande zurückzukehren, ich hoffe Dich aber bald hier in Rom zu umarmen.
Beschreiben kann ich Dir es nicht, wie Mariens Herz immer um das Wohl meiner Seele besorgt war, als sie hörte, daß auch ich der neuen Lehre zugetan sei. Sie bat mich oft inbrünstig, zum alten, wahren Glauben zurückzukehren, und ihre liebevollen Reden brachten

oft meine ganze Phantasie und alles, was ich für meine Überzeugungen hielt, in Unordnung. – Von dem, was ich Dir nun schreiben werde, sage nichts unserm vielgeliebten Meister Dürer; denn ich weiß, daß es nur sein Herz kränken würde, und es könnte doch weder mir noch ihm weiter fruchten.
Ich ging neulich in die Rotonda, weil ein großes Fest war und eine prächtige lateinische Musik sollte aufgeführt werden, oder eigentlich anfangs nur, um meine Geliebte dort unter der betenden Menge wiederzusehen und mich an ihrer himmlischen Andacht zu bessern. Der herrliche Tempel, die wimmelnde Menge Volks, die nach und nach hereindrang und mich immer enger umgab, die glänzenden Vorbereitungen, das alles stimmte mein Gemüt zu einer wunderbaren Aufmerksamkeit. Mir war sehr feierlich zumute, und wenn ich auch, wie es einem bei solchem Getümmel zu gehen pflegt, nichts deutlich und hell dachte, so wühlte es doch auf eine so seltsame Art in meinem Innern, als wenn auch in mir selber etwas Besonderes vorgehen sollte. Auf einmal ward alles stiller, und über uns hub die allmächtige Musik in langsamen, vollen, gedehnten Zügen an, als wenn ein unsichtbarer Wind über unsern Häuptern wehte: sie wälzte sich in immer größeren Wogen fort wie ein Meer, und die Töne zogen meine Seele ganz aus ihrem Körper heraus. Mein Herz klopfte, und ich fühlte eine mächtige Sehnsucht nach etwas Großem und Erhabenen, was ich umfangen könnte. Der volle lateinische Gesang, der sich steigend und fallend durch die schwellenden Töne der Musik durchdrängte, gleich wie Schiffe, die durch Wellen des Meeres segeln, hob mein Gemüt immer höher empor. Und indem die Musik auf diese Weise mein ganzes Wesen durchdrungen hatte und alle meine Adern durchlief – da hob ich meinen in mich gekehrten Blick und sah um mich her – und der ganze Tempel ward lebendig vor meinen Augen, so trunken hatte

mich die Musik gemacht. In dem Moment hörte sie auf, ein Pater trat vor den Hochaltar, erhob mit einer begeisterten Gebärde die Hostie und zeigte sie allem Volke – und alles Volk sank in die Knie, und Posaunen, und ich weiß selbst nicht was für allmächtige Töne, schmetterten und dröhnten eine erhabene Andacht durch alles Gebein. Alles, dicht um mich herum, sank nieder, und eine geheime, wunderbare Macht zog auch mich unwiderstehlich zu Boden, und ich hätte mich mit aller Gewalt nicht aufrechterhalten können. Und wie ich nun mit gebeugtem Haupte kniete und mein Herz in der Brust flog, da hob eine unbekannte Macht meinen Blick wieder; ich sah um mich her, und es kam mir ganz deutlich vor, als wenn alle die Katholiken, Männer und Weiber, die auf den Knien lagen und, den Blick bald in sich gekehrt, bald auf den Himmel gerichtet, sich inbrünstig kreuzten und sich vor die Brust schlugen und die betenden Lippen rührten, als wenn alle um meiner Seelen Seligkeit zu dem Vater im Himmel beteten, als wenn alle die Hunderte um mich herum um den einen Verlorenen in ihrer Mitte flehten und mich in ihrer stillen Andacht mit unwiderstehlicher Gewalt zu ihrem Glauben hinüberzögen. Da sah ich seitwärts nach Marien hin, ihr Blick begegnete dem meinigen, und ich sah eine große, heilige Träne aus ihrem blauen Auge dringen. Ich wußte nicht, wie mir war, ich konnte ihren Blick nicht aushalten, ich wandte den Kopf seitwärts, mein Auge traf auf einen Altar, und ein Gemälde Christi am Kreuze sah mich mit unaussprechlicher Wehmut an – und die mächtigen Säulen des Tempels erhoben sich anbetungswürdig wie Apostel und Heilige vor meinen Augen und schauten mit ihren Kapitälern voll Hoheit auf mich herab – und das unendliche Kuppelgewölbe beugte sich wie der allumfassende Himmel über mir her und segnete meine frommen Entschließungen ein.

Ich konnte nach der geendigten Feierlichkeit den Tempel nicht verlassen; ich warf mich in einer Ecke nieder und weinte und ging dann mit zerknirschtem Herzen vor allen Heiligen, vor allen Gemälden vorüber, und es war mir, als dürfte ich sie nun erst recht betrachten und verehren.
Ich konnte der Gewalt in mir nicht widerstehen: – ich bin nun, teurer Sebastian, zu jenem Glauben hinübergetreten, und ich fühle mein Herz froh und leicht. Die Kunst hat mich allmächtig hinübergezogen, und ich darf wohl sagen, daß ich nun erst die Kunst so recht verstehe und innerlich fasse. Kannst Du es nennen, was mich so verwandelt, was wie mit Engelsstimmen in meine Seele hineingeredet hat, so gib ihm einen Namen und belehre mich über mich selbst; ich folgte bloß meinem innerlichen Geiste, meinem Blute, von dem mir jetzt jeder Tropfen geläuterter vorkommt.
Ach! glaubte ich denn nicht schon ehemals die heiligen Geschichten und die Wunderwerke, die uns unbegreiflich scheinen? Kannst Du ein hohes Bild recht verstehen und mit heiliger Andacht es betrachten, ohne in diesem Momente die Darstellung zu *glauben*? Und was ist es denn nun mehr, wenn diese Poesie der göttlichen Kunst bei mir länger wirkt?
Dein Herz wird sich dem meinigen gewiß nicht abwenden, das ist nicht möglich, Sebastian, und so laß uns denn zu demselben Gotte beten, daß er unser Gemüt hinfüro immer mehr erleuchte und die wahre Frömmigkeit auf uns herniedergieße: nicht wahr, Freund meiner Jugend, das übrige soll und kann uns nicht trennen?
Lebe recht wohl, und grüße herzlich unsern Meister. Wenn Du auch nicht meiner Meinung bist, wird Dir dieser Brief doch gewiß Freude machen, denn Du erfährst, daß ich glücklich bin.

Die Bildnisse der Maler

Die Muse tritt mit einem jungen Künstler in den Gemäldesaal.

Die Muse

Wandle hier mit stillem, heiterm Ernste,
Freundlich beigesellt den großen Meistern,
Die mit Liebe deinen Busen füllen:
Ruhe hier, nach ihren teuren Werken,
Im Beschauen ihrer Häupter aus.

Der Jüngling

Wie fühl ich mich hingezogen!
Wie pocht mein Herz
Den süßen, labenden Blicken entgegen!
Ach! wie demütigt ihr mich,
Daß ihr alle so ernst nach mir,
Wie nach *einem* Mittelpunkte schaut.
Wie fühl ich mich verwandt zu euch,
Und wie entfremdet!
Kühn möcht ich jetzt den Pinsel fassen
Und herrliche, große Gestalten
Mit fester Hand, mit dreisten Farben zeichnen: –
Und dennoch wag ich's kaum,
Den großen Ahnherrn hier ins Angesicht zu blicken.
Wie unter Geistern bin ich festgebannt –
Und wunderbare Lichter fallen
Von allen Bildern hier
In meinen dämmernden, ahndungsvollen Sinn. –
Wie nannte sich dieser Greis,
Der mit freundlichen Blicken
Gedankenschwer in seiner eignen Größe ruht?

Die Muse

Diese teuren langen Silberhaare,
Die so schön ins Haar des Bartes fallen,
Zierten einst den alten weisen Maler
Aus Toskana, meinen *Leonardo*,
Der die große Schule dort gegründet.

Der Jüngling

Gepriesen sei die Hand, die uns dies teure Haupt
In ems'ger Arbeit aufbewahrt.
Er ist's! ich seh ihn, wie er sinnt
Und freundlich in die große weite Natur schaut
Und wie er rastlos wieder
Nach neuer Erkenntnis trachtet. –
Doch wer ist dieser Mann,
In Blick und Stellung ihm fast ähnlich,
Doch ernst, und tiefer in sich selbst verschlossen?

Die Muse

Albrecht Dürer, der sich mir ergeben,
Heilig betend sich an mich gedränget,
Als im fernen wüsten Norden keiner
Mich und meine Kunst geachtet: fromm und
Einfach war sein Wandel, Kindern ähnlich.
Wie er selbst sind alle seine Bilder.

Der Jüngling

Ja, ich erkenne den stillen Fleiß,
Die heilige Demut des Hochbelobten,
Die innere Arbeit des tätigen Geistes. –
Doch deute mir den Namen dieses,
Vor dessen wildem Blick ich heimlich im Innern
Zusammenschaudre, wenn ihn mein Auge trifft!

Die Muse

Dieser ist der Stolz des Vaterlandes,
Schönstes Kleinod von Toskana – Staunen
Seiner Nachwelt: sieh die Kraft des großen
Michelangelo Buonarroti.

Der Jüngling

Ha! der Gewaltige, stark wie ein Löwe!
Der mit Erhabenheiten, mit dem Grausen spielte. –
Aber die Sehnsucht drängt mich fern und ferner –
Rastlos irr ich mit meinem Blick umher,
Und immer find ich nicht, was ich suche.
Keine Stirn ist edel und so begeistert,
Kein Auge ernst genug und tief-erforschend: –
Abseits und einsam, mit langem Barte,
Wunderbarem Heiligenschein um graue Locken,
Hängt vielleicht der göttliche *Raffael.*

Die Muse

Dieser Jüngling hier war *Raffael.*

Der Jüngling

Dieser Jüngling? – Unerforschlich, Gott!
Sind Deine Wege,
Unerforschlich die tiefen Wunder der Kunst!
Dieses heitre, unbefangne Auge
Sah auf selbsterschaffne Christusbilder,
Madonnen, Heilige und Apostel
Und alte Weisen und wilde Schlachten! –
Ach! er scheint nicht älter als ich selber.
Über kleine frohe Spiele scheint er sinnend,
Und das Sinnen wieder scheint ihm Spiel.
Wie ich mich ihm so nah, ach! so vertraulich fühle!

Wie kein Ernst, kein hoher Greisesstolz
Mich Armen rückwärts hält – wie ich ihm an die Brust
Mit Weinen sinken möchte, und in Freude vergehn!
Ach! er würde mich gern in seine Arme nehmen
Und freundlich mich über meine Bewunderung,
Über mein Glück zu trösten suchen. –
Nein, ich lasse den Tränen ihren Lauf; –
In der schönsten Bildung hat sich in dir
Die himmlische Kunst den Menschenkindern offenbart. –

Die Malerchronik

Als ich in meiner Jugend mit unruhigem Geiste hier und dort umherzog und überall begierig aufschaute, wo von Kunstsachen etwas zu sehen war, befand ich mich auch einmal auf einem fremden gräflichen Schlosse, wo ich drei Tage lang mich an den vielen Gemälden nicht satt sehen konnte. Ich wollte sie alle auswendig lernen und erhitzte mein Blut dabei so sehr, daß mir die tausend mannigfaltigen Bilder den Kopf ganz verwirrten. Am dritten Tage kam ein alter Mann, ein reisender italienischer Pater, im Schlosse an, dessen Namen ich bis auf diese Stunde nicht erfahren habe; auch habe ich seit dem Tage nie wieder von ihm gehört. Er war ein grundgelehrter Mann und hatte so viel Dinge in seinem Kopfe, daß ich erstaunen mußte; im Äußern glich er einem Weltweisen aus dem sechszehnten Jahrhundert. Obwohl ich nun noch so jung war, ließ er sich doch gar freundlich ins Gespräch mit mir ein (denn er mußte irgend etwas, das ihm gefiel, an mir finden) und ging mit mir den ganzen Tag in den Bildersälen umher.

Da er meinen großen Eifer in Betrachtung der Gemälde wahrnahm, fragte er mich: Ob ich denn auch die Meister zu nennen wüßte, welche dieses und jenes Stück gemacht hätten? Ich antwortete, daß ich die berühmtesten wohl kennte. Darauf fragte er mich wieder: Ob ich denn nicht mehr von ihnen wüßte als die Namen? Wie er merkte, daß ich wirklich nicht viel mehr wußte, nahm er das Wort und sprach zu mir:
»Du hast bisher die schönen Bilder angestaunt, mein lieber Sohn, als wären es Wunderwerke, vom Himmel auf die Erde heruntergefallen. Aber bedenke, daß dies alles Werk von Menschenhänden ist – daß manche Künstler schon in deinen Jahren ganz vortreffliche Sachen zustande brachten. Was meinst du nun? Solltest du nicht Lust empfinden, von den Männern, welche sich in der Malerei hervorgetan haben, etwas mehreres zu erfahren? Es gibt uns wunderbare Gedanken ein, wenn wir betrachten, wie ihre Werke in immer gleicher ewiger Herrlichkeit glänzen; die Schöpfer dieser Werke aber, im Leben und Sterben, Menschen wie wir andre gewesen sind, in denen nur, solange sie lebten, ein besondres himmlisches Feuer brannte. Dergleichen Betrachtungen versetzen uns in eine wehmütige und träumerische Stimmung, in welcher immer allerhand gute Ideen uns vorüberzuziehen pflegen.«
Ich erinnere mich der Worte des lieben, redseligen alten Mannes noch sehr genau und mit dem herzlichsten Vergnügen; drum will ich noch mehr davon aufzuzeichnen suchen.
Er fuhr, wie er sah, daß ich still und begierig zuhörte, ungefähr also fort:
»Ich habe mit Freude bemerkt, mein Sohn, daß dein Gemüt sehr zu dem vortrefflichen *Raffael* hinhängt. Wenn du nun vor einem recht herrlichen Bilde seiner Hände dastehst, jeden seiner Pinselstriche mit Ehrfurcht betrachtest und denkst: Hätt' ich den heiligen

Mann doch im Leben gesehn! wie hätt' ich ihn anbeten wollen! – und nun hörtest du dabei die alten Lebensbeschreiber der Maler folgendermaßen von ihm erzählen: – Dieser Raffael Sanzio war das einzige Kind seiner Eltern; herzlich liebte ihn der Vater und wollte ausdrücklich, daß ihn die Mutter mit eigener Milch großsäugte, damit er nicht unter die gemeinen Leute käme; und da er heranwuchs, half er als ein zarter Knabe dem Vater bei der Arbeit, und der Vater war froh, daß er seine Sachen so gut machte; um ihn aber was Rechtes lernen zu lassen, nahm er Abrede mit Meister Pietro von Perugia, daß er ihn in die Lehre nehme, und führte ihn selber mit großen Freuden nach Perugia hin, wo Pietro den Knaben gar freundlich aufnahm; aber die Mutter hatte beim Abschied viel Tränen vergossen und konnte sich kaum von dem Kinde losreißen, denn auch sie liebte es herzinniglich: – – sage mir, wie wird dir zumut, wenn du das anhörst? Ist dir nicht lieblich und wohl dabei, diese Dinge zu vernehmen? – – Und dies war ebenderselbe Mensch, der nach kurzen siebenunddreißig Jahren, von aller Welt betrauert, kalt und bleich im Sarge lag. – Der Leichnam lag in seinem Arbeitszimmer, und ein köstliches Leichengedicht, das göttliche Gemälde von der Transfiguration, stand neben dem Sarge auf der Staffelei. – Dies Gemälde, worin wir noch jetzt das Elend der Erde, den Trost edler Männer und die Glorie des Himmelreichs in so herrlicher Vereinigung dargestellt sehn – und der Meister, von dem es erdacht und ausgeführt war, kalt und bleich daneben.« –

Mich reizten diese Sachen außerordentlich, und ich bat den fremden Mann, mir noch mehr von Raffael zu erzählen.

»Das Schönste, was ich dir von ihm sagen kann«, antwortete er, »ist, daß er als Mensch ebenso edel und liebenswürdig war wie als Künstler. Er hatte nichts von dem finstern und stolzen Wesen anderer Künstler, welche manchmal mit Fleiß allerhand Seltsamkeiten annehmen; sein ganzes Leben und Weben auf Erden war einfach, sanft und heiter, wie ein fließender Bach. Seine Gefälligkeit ging so weit, daß, wenn fremde, auch ganz unbekannte Maler ihn um Zeichnungen von seiner Hand ersuchten, er seine Arbeit liegen ließ und sie zuerst befriedigte. So half er sehr vielen aus und belehrte sie wie ein Vater, höchst liebreich. Seine Vortrefflichkeit in der Kunst versammelte eine Menge Maler um ihn her, die sich beeiferten, seine Schüler zu sein, obwohl sie den Lehrjahren selber zum Teil schon entwachsen waren. Sie begleiteten ihn, wenn er an den Hof ging, aus seinem Hause und machten ein großes Gefolge aus. So viele Maler von verschiedenen Sinnen aber hätten gewiß nicht ohne Uneinigkeit und Zwietracht miteinander gelebt, hätte nicht der Geist ihres großen Meisters auf eine zauberhafte Weise sie wie eine Sonne des Friedens beschienen und alle Flecken von ihrer Seele getilgt. So wurden sie von seinem Geiste wie von seinem Pinsel besiegt. – Noch findet sich in dem Leben Raffaels eine schöne Wundergeschichte, und das ist diese. Er malte einen vortrefflichen kreuztragenden Christus mit vielen Figuren, welcher für ein Kloster in Palermo bestimmt war. Aber das Schiff, worin das Bild hingebracht werden sollte, litt heftigen Sturm und Schiffbruch; Menschen und Waren gingen zugrunde; – nur dies Gemälde – es war eine besondere Fügung der Vorsicht –, dies Gemälde ward von freundlichen Wellen bis in den Hafen von Genua getragen, wo man es völlig unversehrt aus seinem Kasten herausnahm. Also bewiesen selbst die wilden Elemente dem heiligen Manne ihre Ehrfurcht. Es ward darauf nach Palermo gebracht und ist dort, wie der alte Vasari sich ausdrückt, für ein ebenso großes Kleinod der Insel Sizilien geachtet als der Berg Ätna.« –

Ich freute mich über die herrlichen Geschichten immer

inniger, drückte dem Pater die Hände und fragte sehr begierig: Aber woher habt Ihr alle diese Sachen erfahren?
»Wisse, mein Sohn«, antwortete er, »es haben mehrere verdiente Männer Chroniken der Kunstgeschichte geführt und die Leben der Maler ausführlich beschrieben, von denen der älteste, und zugleich wohl der vornehmste, *Giorgio Vasari* mit Namen heißt. Wenige lesen diese Bücher heutigestages, obwohl viel Geist und Menschenweisheit darinnen verborgen liegt. Bedenk einmal, was es schön ist, die Männer, die du nach ihrer verschiedenen Art den Pinsel zu führen kennest, nun auch nach ihren verschiedenen Charaktern und Sitten kennenzulernen. Beides fließt dir dann in *ein* Bild zusammen: und wenn du die mit ganz trockenen Worten erzählten Geschichten mit dem rechten, innigen Gefühle fassest, so wird eine herrliche Erscheinung, nämlich der *Künstlercharakter* vor dir aufsteigen, der, wie er sich so mannigfaltig in den tausend verschiedenen einzelnen Menschen zeigt, dir ein ganz neues, liebliches Schauspiel gewähren wird. Jeder Charakter wird dir ein eigenes Gemälde sein, und du wirst eine herrliche Galerie von Bildnissen zum Spiegel deines Geistes um dich her versammelt haben.«
Dies verstand ich damals noch nicht recht, wiewohl es nachher, nachdem ich die gedachten Bücher gelesen habe, ganz meine eigene Meinung geworden ist. – Indessen lag ich dem guten alten Pater sehr dringend an, mir immer noch mehr schöne Geschichten aus der Malerchronika zu erzählen. »Ich will mich besinnen«, sagte er mit lächelndem Munde, »ich rede gern von den alten Malergeschichten.« Und nun erzählte er mir fürwahr eine ganze Menge der schönsten Historien; denn er hatte alle Bücher, die je von der Kunst geschrieben sind, oftmals gelesen und wußte das Beste daraus im Kopfe. Mir waren seine Erzählungen so eindringlich, daß ich sie fast noch mit seinen Worten bis

jetzt behalten habe, und ich will ein Teil davon
Lust wiedererzählen.
Als wir in dem Bildersaal, wo wir uns befanden,
ein Gemälde von dem vortrefflichen *Domenichino* t
fen, sagte er mir, daß dieser Maler ein merkwürdi
Beispiel von einem heißen Eifer in der Kunst abge
und fuhr, um dies zu beweisen, also fort:
»Ehe dieser Meister ein Gemälde anfing, dachte
eine lange Zeit vorher darüber nach und blieb wohl manchmal ganze Tage lang allein in seinem Gemach, bis das Bild in allen kleinsten Teilen vollendet vor seiner Seele stand. Dann war er vergnügt und sagte: nun ist die Hälfte der Arbeit getan. Und hatte er einmal zum Pinsel gegriffen, so blieb er wieder den ganzen Tag bei der Staffelei angeheftet und mochte sich kaum ein paar Minuten zum Essen abbrechen. Er malte mit größtem Fleiß und Vollendung, und überall legte er tiefen Ausdruck hin. Als einer ihn einmal bereden wollte, sich nicht so abzuquälen, sondern die leichtere Manier anderer Maler zu ergreifen, antwortete er ganz kurz: Ich arbeite bloß für mich und die Vollkommenheit der Kunst. Er konnte nicht begreifen, wie andre Maler die größten und wichtigsten Sachen mit so weniger Teilnahme arbeiten mochten, daß sie während des Malens immerfort mit ihren Bekannten schwatzen konnten. Drum hielt er diese auch für bloße Handarbeiter, die das innere Heiligtum der Kunst nicht kennten. Er selber war, wenn er malte, immer mit so lebendiger Seele in seinem Gegenstande drinnen, daß er in sich selbst die Empfindungen und Affekten fühlte, die er vorstellen wollte, und sich unwillkürlich darnach gebärdete. Manchmal, wenn er eine trauernde Figur im Sinn hatte, hörte man ihn in seinem Arbeitszimmer mit unterdrückter, ächzender Stimme wehklagen; oder wenn es ein freudiges Gesicht sein sollte, so war er munter und sprach lebhaft mit sich allein. Er malte darum in einem abgelegenen

Gemach und ließ keinen, auch von seinen Schülern nicht, hinzu, um nicht in seinen Entzückungen gestört und für närrisch verlacht zu werden. In seinen jüngern Jahren war er auch einmal in so einer entzückten Stunde, als sich ein recht rührendes Schauspiel ereignete. Der vortreffliche Annibale Caracci kam eben, ihn zu besuchen: wie er aber die Tür öffnete, sah er ihn ganz aufgebracht vor der Staffelei stehn, voller Wut und Zorn und mit einer drohenden Gebärde. Er blieb still an der Tür und ward gewahr, daß sein Freund bei dem Bilde von der Marter des heiligen Andreas beschäftigt war und eben einen trotzigen Kriegsknecht malte, der dem Apostel droht. Mit inniger Freude und Verwunderung sah er ihm eine ganze Zeitlang zu und regte sich nicht; – aber endlich konnte er sich nicht länger halten: – ›Ich danke dir!‹ rief er aus, stürzte auf ihn zu und fiel ihm mit klopfendem Herzen um den Hals. –
Dieser *Annibale Caracci* war selbst ein gar herrlicher, kräftiger Mann, der die *stumme Größe* der Kunst recht inniglich fühlte und es besser achtete, selber große Werke hervorzubringen, als mit zierlichen, leichten Worten um große Werke der Kunst herumzuspielen. Sein Bruder *Agostino* dagegen war neben seiner Kunst ein feiner Weltmann, ein Literatus und Sonettendichter, der über Kunstsachen gern viel Worte machte. Als nun beide von Rom zurückgekommen waren und wieder in ihrer Akademie in Bologna saßen und arbeiteten, fing dieser Agostino einstmals an, die merkwürdige antike Gruppe des Laokoon gar weitläuftig zu beschreiben und alle die einzelnen Schönheiten mit gar zierlichen Reden herauszustreichen. Wie nun sein Bruder Annibale ganz kalt und träumerisch daneben stand, als wenn er es nicht verstände, ward jener ungehalten, und fragte: ob er denn nichts davon fühlte? Das verdroß ihn innerlich; stillschweigend nahm er eine Kohle, ging an die Wand

und zeichnete schnell aus dem Kopf die ganze Gruppe vom Laokoon den Umrissen nach so treu und richtig hin, daß man sie vor Augen zu sehen glaubte. Dann trat er lächelnd von der Wand zurück – alle Anwesenden aber erstaunten, und Agostino gab sich für überwunden und erkannte ihn als den Sieger im Wettstreit.« –

Als der fremde Mann diese Geschichten erzählt hatte, kam ich auf andre Dinge mit ihm zu reden und fragte ihn unter andern: ob er nicht auch Geschichten von Knaben wüßte, die von früher Jugend an einen besondern Hang zur Malerkunst gehabt hätten?

»O ja«, sagte der fremde Mann lächelnd, »es wird uns von mehreren Knaben berichtet, die in ganz schlechtem Stande geboren und erzogen und daraus gleichsam vom Himmel zur Malerkunst berufen wurden. Davon fallen mir mehrere Exempel ein. Gleich einer der allerältesten Maler von Italien, *Giotto*, war in der Jugend nichts weiter als ein Hirtenjunge, der die Schafe hütete. Er hatte seine Freude daran, seine Schafe auf Steinen oder im Sande abzuzeichnen; dabei betraf ihn einmal Cimabue, der Urvater aller Maler, und nahm ihn mit sich, da der Knabe denn bald seinen Lehrmeister übersah. Wenn ich nicht irre, so werden uns ganz ähnliche Geschichten vom *Domenico Beccafumi* und auch von dem geschickten Bildhauer *Contucci* erzählt, der als Knabe das Vieh, das er weiden mußte, in Ton nachbildete. So war auch der bekannte *Polidoro da Caravaggio* anfangs weiter nichts als ein Bursche, der den Maurern am Vatikan den Mörtel zutrug; dabei aber sah er den Schülern Raffaels, die eben dort arbeiteten, fleißig zu, bekam eine unwiderstehliche Lust zum Malen und lernte gar schnell und eifrig. – Ja, es fällt mir noch ein sehr artiges Exempel ins Gedächtnis, von dem alten französischen Maler *Jacob Callot*; der hatte als Knabe viel von den herrlichen Sachen in Italien reden hören und kam, da er das Zeichnen über alles liebte, eine Wut, das herrliche Land zu sehn. Als ein Knabe von eilf Jahren lief er heimlich dem Vater fort, ohne einen Kreuzer Geld in der Tasche, und wollte geradeswegs nach Rom. Er mußte sich bald aufs Betteln legen, und wie er auf seinem Wege einen Trupp Zigeuner antraf, schlug er sich dazu und wanderte mit ihnen bis Florenz, wo er wirklich bei einem Maler in die Lehre kam. Dann ging er nach Rom; hier aber sahen ihn französische Kaufleute aus seiner Vaterstadt, welche die Not und Angst der Eltern um ihn wußten und ihn mit Gewalt mit sich zurücknahmen. Als der Vater ihn wiederhatte, wollte er ihn zwingen, sich fleißig an die Studia zu halten; allein das war alles verlorene Mühe. Im vierzehnten Jahre lief er zum zweitenmal fort nach Italien; aber sein Unstern wollte, daß er in Turin auf der Straße seinem ältern Bruder begegnen mußte, der ihn von neuem zu dem Vater zurückschleppte. Endlich sah dieser ein, daß kein Mittel half, und gab ihm nun von freien Stücken die Erlaubnis, zum drittenmal nach Italien zu gehn, wo er sich denn auch zu einem wackern Künstler bildete. Bei allen seinen jugendlichen Streifereien war er immer ohne Gefahr geblieben und hatte seine ganze Unschuld der Seele behalten; denn er mußte unter besonderer Obhut des Himmels stehen. Noch ist merkwürdig von ihm, daß er als Knabe immer um zweierlei zu Gott betete, nämlich: daß er, er werde was er wolle, sich in seinem Tun vor allen andern auszeichnen möchte; – und dann, daß er nicht über dreiundvierzig Jahre alt würde. Und was wunderbar ist, so starb er wirklich im dreiundvierzigsten Jahre.« –

Der alte Pater hatte diese Geschichten mit vielem Anteil erzählt. Dann ging er sinnend auf und nieder, und ich sah ihm an, daß er in angenehmen Träumen unter dem Haufen der alten Maler umherirrte. Ich ließ ihn gern in seinen Betrachtungen und freute mich, daß er sich noch auf mehr Sachen besinnen würde, denn die Erinnerungen schienen ihm immer lebendiger zu werden. Und wirklich fing er nach einer kleinen Weile wieder also an:

»Da kommen mir noch ein paar schöne Anekdoten ins Gedächtnis, die, auf zwiefache verschiedene Weise, bezeugen, was für eine mächtige Gottheit die Kunst für den Künstler ist und mit welcher Gewalt sie ihn beherrscht. – Es war einmal ein alter florentinischer Maler, mit Namen *Mariotto Albertinelli*, ein eifriger Künstler, aber ein gar unruhiger und sinnlicher Mensch. Er ward des unsichern und mühseligen Studiums an den mechanischen Teilen der Kunst und der häßlichen Feindschaften und Verfolgungen der Nebenkünstler endlich ganz überdrüssig, und weil er gern gut leben mochte, so entschloß er sich, ein lustigeres Gewerbe zu ergreifen, und legte ein Gasthaus an. Herzlich vergnügt war er, wie die Sache im Gange war, und sagte öfters zu seinen Freunden: ›Seht! das ist ein besser Handwerk! Nun quäl ich mich nicht mehr um die Muskeln *gemalter* Menschen, sondern speise und stärke *lebendige*, und, was das Beste ist, bin vor dem abscheulichen Anfeinden und Verleumden sicher, solang ich nur guten Wein im Fasse habe.‹ – Aber was geschah? Wie er eine Zeitlang dies Leben geführt hatte, stellte sich ihm die göttliche Erhabenheit der Kunst auf einmal wieder so lebhaft vor Augen, daß er plötzlich sein Gasthaus aufgab und eifrig, als ein Bekehrter, sich der Kunst von neuem in die Arme warf. –

Die andre Geschichte ist diese. Der wohlbekannte und berühmte *Parmeggiano* malte als ein junger Mann in Rom sehr vortreffliche Sachen für den Papst, und zwar gerade zu der Zeit, als der deutsche Kaiser Karl der Fünfte die Stadt belagerte. Dessen Truppen nun brachen in die Tore ein und plünderten alle Häuser, der Großen wie der Geringen. Parmeggiano aber achtete auf nichts weniger als auf den Kriegslärm und Tumult und blieb ruhig bei seiner Arbeit. Auf einmal brechen etliche Kriegsmänner ins Gemach herein, und siehe! er bleibt immer noch fest und emsig an seiner Staffelei. Da erstaunten diese wilden Menschen, die selbst Tempel und Altar nicht geschont hatten, über den großen Geist des Mannes so sehr, daß sie ihn, als wär' er ein Heiliger, nicht anzurühren wagten und ihn sogar gegen die Wut anderer beschützten.« –

»Wie wunderbar ist das alles«, rief ich; »aber nun bitt ich Euch noch um ein einziges«, fuhr ich zu dem lieben fremden Manne fort – »sagt mir, ob es wahr ist, was ich einst hörte, daß die ältesten Maler von Italien so gottesfürchtige Männer gewesen sind und die heiligen Geschichten immer mit rechter Gottesfurcht gemalt haben? Mehrere Leute, die ich darum befragte, lachten mich aus und sagten, das sei eitel Einbildung und ein artig erfundenes Märchen.«

»Nein, mein Sohn«, versetzte der liebe Mann zu meinem Trost, »das ist keine poetische Erfindung, sondern, wie ich dir aus den alten Büchern bezeugen kann, die lautere Wahrheit. Diese ehrwürdigen Männer, von denen mehrere selbst Geistliche und Klosterbrüder waren, widmeten die von Gott empfangene Geschicklichkeit ihrer Hand auch bloß göttlichen und heiligen Geschichten und brachten so einen ernsthaften und heiligen Geist und so eine demütige Einfalt in ihre Werke, wie es sich zu geweiheten Gegenständen schickt. Sie machten die Malerkunst zur treuen Dienerin der Religion und wußten nichts von dem eitlen Farbenprunk der heutigen Künstler: ihre Bilder, in Kapellen und an Altären, gaben dem, der davor kniete und betete, die heiligsten Gesinnungen ein. Einer der alten Männer, *Lippo Dalmasio*, war wegen seiner herrlichen Madonnen berühmt, wovon Papst Gregorius der Dreizehnte eine vorzügliche in seinem Gemache zur Privatandacht bei sich hatte. Ein andrer,

Fra Giovanni Angelico da Fiesole, Maler und Dominikanermönch zu Florenz, war wegen seines strengen und gottesfürchtigen Lebens besonders berühmt. Er kümmerte sich gar nicht um die Welt, schlug sogar die Würde eines Erzbischofs aus, die der Papst ihm antrug, und lebte immer still, ruhig, demütig und einsam. Jedesmal, bevor er zu malen anfing, pflegte er zu beten; dann ging er ans Werk und führte es aus, wie der Himmel es ihm eingegeben hatte, ohne weiter darüber zu klügeln und zu kritisieren. Das Malen war ihm eine heilige Bußübung; und manchmal, wenn er Christi Leiden am Kreuz malte, sah man während der Arbeit große Tränen über sein Gesicht fließen. – Das alles ist nicht ein schönes Märchen, sondern die reine Wahrheit.« –

Den Beschluß machte der Pater mit einer recht seltsamen Geschichte, welche ebenfalls in jene alte Periode der religiösen Malerkunst fällt.

»Einer der frühsten Maler«, erzählte er, »welcher uns *Spinello* genannt wird, malte in seinem Alter für die Kirche S. Agnolo zu Arezzo ein sehr großes Altarblatt, worauf er den Luzifer und den Sturz der bösen Engel vorstellte: in der Luft den Engel Michael, wie er mit dem siebenköpfigen Drachen kämpft, und unten den Luzifer in der Gestalt des scheußlichsten Ungeheuers. Von dieser greulichen Teufelsgestalt war nun sein Kopf so eingenommen, daß, wie erzählt wird, der böse Geist ihm gradeso gestaltet im Traume erschien und ihn fürchterlich fragte: warum er ihn in dieser schändlichen, bestialischen Bildung vorgestellt und an welchem Ort er ihn in dieser Unform gesehn habe? Der Maler erwachte aus dem Traum an allen Gliedern zitternd – er wollte um Hülfe rufen und konnte vor Schrecken keinen Laut hervorbringen. Von der Zeit an war er immer halb von sich und behielt einen stieren Blick; auch starb er nicht lange darauf. Das wunderbare Gemälde aber ist noch heutigestages an seiner alten Stelle zu sehen.« – –

Der fremde Pater ging bald darauf fort und reiste weiter, ohne daß ich einmal Abschied von ihm nehmen konnte. Mir war wie im Traum, als ich alle die schönen Historien gehört hatte; – ich war in eine ganz neue, wunderbare Welt eingeführt. Begierig fragte ich überall nach, um alle die Bücher von Lebensgeschichten der Maler, besonders auch das Werk des Giorgio Vasari zu bekommen; ich las sie mit Liebe und Eifer, und siehe! ich fand in diesen Büchern alle die Historien aufgezeichnet, die der fremde Pater erzählt hatte. Dieser mir unvergeßliche Mann ist es gewesen, der mich auf das Studium der *Künstlergeschichte* geleitet hat, welches dem Verstande, dem Herzen und der Phantasie so viel Nahrung gibt, und ich habe ihm darum gar viele glückliche Stunden zu verdanken.

Das merkwürdige musikalische Leben des Tonkünstlers Joseph Berglinger

In zwei Hauptstücken

Erstes Hauptstück

Ich habe mehrmals mein Auge rückwärts gewandt und die Schätze der Kunstgeschichte vergangener Jahrhunderte zu meinem Vergnügen eingesammelt; aber jetzt treibt mich mein Gemüt, einmal bei den gegenwärtigen Zeiten zu verweilen und mich an der Geschichte eines Künstlers zu versuchen, den ich seit seiner frühen Jugend kannte und der mein innigster Freund war. Ach leider bist du bald von der Erde weggegangen, mein Joseph! und nicht so leicht werd ich deinesgleichen wieder finden. Aber ich will mich daran laben, der Geschichte deines Geistes, von Anfang an, so wie du mir oftmals in schönen Stunden sehr ausführlich davon erzählt hast und so wie ich selbst dich innerlich kennengelernt habe, in meinen Gedanken nachzugehen und denen, die Freude daran haben, deine Geschichte erzählen. –

Joseph Berglinger ward in einem kleinen Städtchen im südlichen Deutschlande geboren. Seine Mutter mußte die Welt verlassen, indem sie ihn darein setzte; sein Vater, schon ein ziemlich bejahrter Mann, war Doktor der Arzneigelehrsamkeit und in dürftigen Vermögensumständen. Das Glück hatte ihm den Rücken gewandt; und es kostete ihn sauren Schweiß, sich und sechs Kinder (denn Joseph hatte fünf weibliche Geschwister) durch das Leben zu bringen, zumal da ihm nun eine verständige Wirtschafterin mangelte.

Dieser Vater war ursprünglich ein weicher und sehr gutherziger Mann, der nichts lieber tun mochte als helfen, raten und Almosen geben, soviel er nur vermögend war; der nach einer guten Tat besser schlief als gewöhnlich; der lange, mit herzlicher Rührung und Dank gegen Gott, von den guten Früchten seines Herzens zehren konnte und seinen Geist am liebsten mit rührenden Empfindungen nährte. Man muß in der Tat allemal von tiefer Wehmut und herzlicher Liebe ergriffen werden, wenn man die beneidenswerte Einfachheit dieser Seelen betrachtet, welche in den gewöhnlichen Äußerungen des guten Herzens einen so unerschöpflichen Abgrund von Herrlichkeit finden, daß dies völlig ihr Himmel auf Erden ist, wodurch sie mit der ganzen Welt versöhnt und immer in zufriedenem Wohlbehagen erhalten werden. Joseph hatte ganz diese Empfindung, wenn er seinen Vater betrachtete; – aber *ihn* hatte der Himmel nun einmal so eingerichtet, daß er immer nach etwas *noch Höherem* trachtete;

es genügte ihm nicht die bloße *Gesundheit* der Seele, und daß sie ihre ordentlichen Geschäfte auf Erden, als arbeiten und Gutes tun, verrichtete; – er wollte, daß sie auch in üppigem Übermute dahertanzen und zum Himmel, als zu ihrem Ursprunge, hinaufjauchzen sollte.
Das Gemüt seines Vaters war aber auch noch aus andern Dingen zusammengesetzt. Er war ein emsiger und gewissenhafter Arzt, der zeit seines Lebens an nichts als an der Kenntnis der seltsamen Dinge, die im menschlichen Körper verborgen liegen, und an der weitläuftigen Wissenschaft aller jammervollen menschlichen Gebrechen und Krankheiten seine Lust gehabt hatte. Dieses eifrige Studium nun war ihm, wie es öfters zu geschehen pflegt, ein heimliches, nervenbetäubendes Gift geworden, das alle seine Adern durchdrang und viele klingende Saiten des menschlichen Busens bei ihm zernagte. Dazu kam der Mißmut über das Elend seiner Dürftigkeit und endlich das Alter. Alles dieses zehrte an der ursprünglichen Güte seines Gemüts; denn bei nicht starken Seelen geht alles, womit der Mensch zu schaffen hat, in sein Blut über und verwandelt sein Inneres, ohne daß er es selber weiß.
Die Kinder des alten Arztes wuchsen bei ihm auf wie Unkraut in einem verwilderten Garten. Josephs Schwestern waren teils kränklich, teils von schwachem Geiste und führten ein kläglich einsames Leben in ihrer dunklen kleinen Stube.
In diese Familie konnte niemand weniger passen als *Joseph*, der immer in schöner Einbildung und himmlischen Träumen lebte. Seine Seele glich einem zarten Bäumchen, dessen Samenkorn ein Vogel in das Gemäuer öder Ruinen fallen ließ, wo es zwischen harten Steinen jungfräulich hervorschießet. Er war stets einsam und still für sich und weidete sich nur an seinen inneren Phantaseien; drum hielt der Vater auch ihn

ein wenig verkehrt und blödes Geistes. Seinen Vater und seine Geschwister liebte er aufrichtig; aber sein Inneres schätzte er über alles und hielt es vor andern heimlich und verborgen. So hält man ein Schatzkästlein verborgen, zu welchem man den Schlüssel niemanden in die Hände gibt.

Seine Hauptfreude war von seinen frühsten Jahren an die *Musik* gewesen. Er hörte zuweilen jemanden auf dem Klaviere spielen und spielte auch selber etwas. Nach und nach bildete er sich durch den oft wiederholten Genuß auf eine so eigene Weise aus, daß sein Inneres ganz und gar zu Musik ward und sein Gemüt, von dieser Kunst gelockt, immer in den dämmernden Irrgängen poetischer Empfindung umherschweifte.

Eine vorzügliche Epoche in seinem Leben machte eine Reise nach der bischöflichen Residenz, wohin ein begüterter Anverwandter, der dort wohnte und der den Knaben liebgewonnen hatte, ihn auf einige Wochen mitnahm. Hier lebte er nun recht im Himmel: sein Geist ward mit tausendfältiger schöner Musik ergötzt und flatterte nicht anders als ein Schmetterling in warmen Lüften umher.

Vornehmlich besuchte er die Kirchen und hörte die heiligen Oratorien, Kantilenen und Chöre mit vollem Posaunen- und Trompetenschall unter den hohen Gewölben ertönen, wobei er oft aus innerer Andacht demütig auf den Knien lag. Ehe die Musik anbrach, war es ihm, wenn er so in dem gedrängten, leise murmelnden Gewimmel der Volksmenge stand, als wenn er das gewöhnliche und gemeine Leben der Menschen als einen großen Jahrmarkt unmelodisch durcheinander und um sich herum summen hörte; sein Kopf ward von leeren, irdischen Kleinigkeiten betäubt. Erwartungsvoll harrte er auf den ersten Ton der Instrumente; – und indem er nun aus der dumpfen Stille, mächtig und langgezogen, gleich dem Wehen eines

Windes vom Himmel hervorbrach und die ganze Gewalt der Töne über seinem Haupte daherzog – da war es ihm, als wenn auf einmal seiner Seele große Flügel ausgespannt, als wenn er von einer dürren Heide aufgehoben würde, der trübe Wolkenvorhang vor den sterblichen Augen verschwände und er zum lichten Himmel emporschwebte. Dann hielt er sich mit seinem Körper still und unbeweglich und heftete die Augen unverrückt auf den Boden. Die Gegenwart versank vor ihm; sein Inneres war von allen irdischen Kleinigkeiten, welche der wahre Staub auf dem Glanze der Seele sind, gereinigt; die Musik durchdrang seine Nerven mit leisen Schauern und ließ, so wie sie wechselte, mannigfache Bilder vor ihm aufsteigen. So kam es ihm bei manchen frohen und herzerhebenden Gesängen zum Lobe Gottes ganz deutlich vor, als wenn er den König David im langen königlichen Mantel, die Krone auf dem Haupt, vor der Bundeslade lobsingend hertanzen sähe; er sah sein ganzes Entzücken und alle seine Bewegungen, und das Herz hüpfte ihm in der Brust. Tausend schlafende Empfindungen in seinem Busen wurden losgerissen und bewegten sich wunderbar durcheinander. Ja bei manchen Stellen der Musik endlich schien ein besonderer Lichtstrahl in seine Seele zu fallen; es war ihm, als wenn er dabei auf einmal weit klüger würde und mit helleren Augen und einer gewissen erhabenen und ruhigen Wehmut auf die ganze wimmelnde Welt herabsähe.

Soviel ist gewiß, daß er sich, wenn die Musik geendigt war und er aus der Kirche herausging, reiner und edler geworden vorkam. Sein ganzes Wesen glühte noch von dem geistigen Weine, der ihn berauscht hatte, und er sah alle Vorübergehende mit andern Augen an. Wenn er dann etwa ein paar Leute auf dem Spaziergange zusammenstehn und lachen oder sich Neuigkeiten erzählen sah, so machte das einen ganz

eignen widrigen Eindruck auf ihn. Er dachte: du mußt zeitlebens, ohne Aufhören in diesem schönen poetischen Taumel bleiben, und dein ganzes Leben muß *eine* Musik sein.
Wenn er dann aber zu seinem Anverwandten zum Mittagessen ging und es sich in einer gewöhnlich-lustigen und scherzenden Gesellschaft hatte wohl schmecken lassen – dann war er unzufrieden, daß er so bald wieder ins prosaische Leben hinabgezogen war und sein Rausch sich wie eine glänzende Wolke verzogen hatte.
Diese bittere Mißhelligkeit zwischen seinem angebornen ätherischen Enthusiasmus und dem irdischen Anteil an dem Leben eines jeden Menschen, der jeden täglich aus seinen Schwärmereien mit Gewalt herabziehet, quälte ihn sein ganzes Leben hindurch. –
Wenn Joseph in einem großen Konzerte war, so setzte er sich, ohne auf die glänzende Versammlung der Zuhörer zu blicken, in einen Winkel und hörte mit eben der Andacht zu, als wenn er in der Kirche wäre – ebenso still und unbeweglich und mit so vor sich auf den Boden sehenden Augen. Der geringste Ton entschlüpfte ihm nicht, und er war von der angespannten Aufmerksamkeit am Ende ganz schlaff und ermüdet. Seine ewig bewegliche Seele war ganz ein Spiel der Töne; – es war, als wenn sie losgebunden vom Körper wäre und freier umherzitterte, oder auch als wäre sein Körper mit zur Seele geworden – so frei und leicht ward sein ganzes Wesen von den schönen Harmonien umschlungen, und die feinsten Falten und Biegungen der Töne drückten sich in seiner weichen Seele ab. – Bei fröhlichen und entzückenden vollstimmigen Symphonien, die er vorzüglich liebte, kam es ihm gar oftmals vor, als säh' er ein munteres Chor von Jünglingen und Mädchen auf einer heitern Wiese tanzen, wie sie vor- und rückwärts hüpften und wie einzelne Paare zuweilen in Pantomimen zueinander sprachen

und sich dann wieder unter den frohen Haufen mischten. Manche Stellen in der Musik waren ihm so klar und eindringlich, daß die Töne ihm *Worte* zu sein schienen. Ein andermal wieder wirkten die Töne eine wunderbare Mischung von Fröhlichkeit und Traurigkeit in seinem Herzen, so daß Lächeln und Weinen ihm gleich nahe war; eine Empfindung, die uns auf unserm Wege durch das Leben so oft begegnet und die keine Kunst geschickter ist auszudrücken als die Musik. Und mit welchem Entzücken und Erstaunen hörte er ein solches Tonstück an, das mit einer muntern und heitern Melodie, wie ein Bach, anhebt, aber sich nach und nach unvermerkt und wunderbar in immer trübeen Windungen fortschleppt und endlich in heftiglautes Schluchzen ausbricht oder wie durch wilde Klippen mit ängstigendem Getöse daherrauscht. – Alle diese mannigfaltigen Empfindungen nun drängten in seiner Seele immer entsprechende sinnliche Bilder und neue Gedanken hervor: – eine wunderbare Gabe der Musik – welche Kunst wohl überhaupt um so mächtiger auf uns wirkt und alle Kräfte unsers Wesens um so allgemeiner in Aufruhr setzt, je dunkler und geheimnisvoller ihre Sprache ist. –

Die schönen Tage, die Joseph in der bischöflichen Residenz verlebt hatte, waren endlich vorüber, und er mußte wieder nach seiner Vaterstadt in das Haus seines Vaters zurückkehren. Wie traurig war der Rückweg! Wie kläglich und niedergedrückt fühlte er sich wieder in einer Familie, deren ganzes Leben und Weben sich nur um die kümmerliche Befriedigung der notwendigsten physischen Bedürfnisse drehte, und bei einem Vater, der so wenig in seine Neigungen einstimmte! Dieser verachtete und verabscheute alle Künste als Dienerinnen ausgelassener Begierden und Leidenschaften und Schmeichlerinnen der vornehmen Welt. Schon von jeher hatte er es mit Mißvergnügen gesehen, daß sein Joseph sich so sehr an die Musik

gehängt hatte; und nun, da diese Liebe in dem Knaben immer höher wuchs, machte er einen anhaltenden und ernstlichen Versuch, ihn von dem verderblichen Hange zu einer Kunst, deren Ausübung nicht viel besser als Müßiggang sei und die bloß die Lüsternheit der Sinne befriedige, zur Medizin, als zu der wohltätigsten und für das Menschengeschlecht allgemeinnützlichsten Wissenschaft zu bekehren. Er gab sich viele Mühe, ihn selber in den Anfangsgründen zu unterweisen, und gab ihm Hülfsbücher in die Hände.
Dies war eine recht quälende und peinliche Lage für den armen Joseph. Er preßte seinen Enthusiasmus heimlich in seine Brust zurück, um seinen Vater nicht zu kränken, und wollte sich zwingen, ob er nicht nebenher eine nützliche Wissenschaft erlernen könnte. Aber das war ein ewiger Kampf in seiner Seele. Er las in seinen Lehrbüchern eine Seite zehenmal, ohne zu fassen, was er las; – immer sang seine Seele innerlich ihre melodischen Phantasien fort. Der Vater war sehr bekümmert um ihn.
Seine heftige Liebe zur Musik nahm in der Stille immer mehr überhand. War in einigen Wochen kein Ton in sein Ohr gekommen, so ward er ordentlich am Gemüte krank; er merkte, daß sein Gefühl zusammenschrumpfte, es entstand eine Leerheit in seinem Innern, und er hatte eine rechte Sehnsucht, sich wieder von den Tönen begeistern zu lassen. Dann konnten selbst gemeine Spieler an Fest- oder Kirchweihtagen mit ihren Blasinstrumenten ihm Gefühle einflößen, wovon sie selber keine Ahndung hatten. Und sooft in den benachbarten Städten eine schöne große Musik zu hören war, so lief er mit heißer Begierde im heftigsten Schnee, Sturm und Regen hinaus.
Fast täglich rief er sich mit Wehmut die herrliche Zeit in der bischöflichen Residenz in seinen Gedanken zurück und stellte sich die köstlichen Sachen, die er dort gehört hatte, wieder vor die Seele. Oftmals sagte er

sich die auswendig behaltenen, so lieblichen und rührenden Worte des geistlichen Oratoriums vor, welches das erste gewesen war, das er gehört, und welches einen vorzüglich tiefen Eindruck auf ihn gemacht hatte:

Stabat Mater dolorosa
Juxta crucem lacrymosa,
  Dum pendebat filius:
Cujus animam gementem,
Contristantem et dolentem
  Pertransivit gladius.

O quam tristis et afflicta
Fuit illa benedicta
  Mater unigeniti:
Quae moerebat et dolebat
Et tremebat, cum videbat
  Nati poenas inclyti.

Und wie es weiter heißt.
Ach aber! – wenn ihm nun so eine entzückte Stunde, da er in ätherischen Träumen lebte oder da er eben ganz berauscht von dem Genuß einer herrlichen Musik kam, dadurch unterbrochen wurde, daß seine Geschwister sich um ein neues Kleid zankten oder daß sein Vater der ältesten nicht hinreichend Geld zur Wirtschaft geben konnte oder der Vater von einem recht elenden, jammervollen Kranken erzählte oder daß eine alte, ganz krummgebückte Bettelfrau an die Tür kam, die sich in ihren Lumpen vor dem Winterfrost nicht schützen konnte; – ach! es gibt in der Welt keine so entsetzlich bittere, so herzdurchschneidende Empfindung, als von der Joseph alsdann zerrissen ward. Er dachte: »Lieber Gott! ist denn *das* die Welt, wie sie ist? und ist es denn Dein Wille, daß ich mich so unter das Gedränge des Haufens mischen und an dem gemeinen Elend Anteil nehmen soll? Und doch sieht es

so aus, und mein Vater predigt es immer, daß es die Pflicht und Bestimmung des Menschen sei, sich darunter zu mischen, und Rat und Almosen zu geben, und ekelhafte Wunden zu verbinden, und häßliche Krankheiten zu heilen! Und doch ruft mir wieder eine innere Stimme ganz laut zu: Nein! nein! du bist zu einem höheren, edleren Ziel geboren!« – Mit solchen Gedanken quälte er sich oft lange und konnte keinen Ausweg finden; allein eh' er es sich versah, waren die widrigen Bilder, die ihn gewaltsam in den Schlamm dieser Erde herabzuziehen schienen, aus seiner Seele verwischt, und sein Geist schwärmte wieder ungestört in den Lüften umher.
Allmählich ward er nun ganz und gar der Überzeugung, daß er von Gott deshalb auf die Welt gesetzt sei, um ein recht vorzüglicher Künstler in der Musik zu werden; und zuweilen dachte er wohl daran, daß der Himmel ihn aus der trüben und engen Dürftigkeit, worin er seine Jugend hinbringen mußte, zu desto höherem Glanze hervorziehen werde. Viele werden es für eine romanhafte und unnatürliche Erdichtung halten, allein es ist reine Wahrheit, wenn ich erzähle, daß er oftmals in seiner Einsamkeit, aus inbrünstigem Triebe seines Herzens, auf die Knie fiel und Gott bat, er möchte ihn doch also führen, daß er einst ein recht herrlicher Künstler vor dem Himmel und vor der Erde werden möchte. In dieser Zeit, da sein Blut, von den immer auf denselben Fleck gehefteten Vorstellungen bedrängt, oft in heftiger Wallung war, schrieb er mehrere kleine Gedichte nieder, die seinen Zustand oder das Lob der Tonkunst schilderten und die er mit großer Freude auf seine kindisch-gefühlvolle Weise in Musik setzte, ohne die Regeln zu kennen. Eine Probe von diesen Liedern ist folgendes Gebet, welches er an diejenige unter den Heiligen richtete, die als Beschützerin der Tonkunst verehrt wird:

Siehe wie ich trostlos weine
In dem Kämmerlein alleine,
  Heilige *Cäcilia*!
Sieh mich aller Welt entfliehen,
Um hier still vor dir zu knien:
  Ach ich bete, sei mir nah!

Deine wunderbaren Töne,
Denen ich verzaubert fröne,
  Haben mein Gemüt verrückt.
Löse doch die Angst der Sinnen –
Laß mich in Gesang zerrinnen,
  Der mein Herz so sehr entzückt.

Möchtest du auf Harfensaiten
Meinen schwachen Finger leiten,
  Daß Empfindung aus ihm quillt;
Daß mein Spiel in tausend Herzen
Laut Entzücken, süße Schmerzen,
  Beides hebt und wieder stillt.

Möcht ich einst mit lautem Schalle
In des Tempels voller Halle
  Ein erhabnes Gloria
Dir und allen Heil'gen weihen,
Tausend Christen zu erfreuen:
  Heilige *Cäcilia*!

Öffne mir der Menschen Geister,
Daß ich ihrer Seelen Meister
  Durch die Kraft der Töne sei;
Daß mein Geist die Welt durchklinge,
Sympathetisch sie durchdringe,
  Sie berausch in Phantasei!

Über ein Jahr lang wohl quälte sich und brütete der arme Joseph in der Einsamkeit über einen Schritt, den er tun wollte. Eine unwiderstehliche Macht zog seinen Geist nach der herrlichen Stadt zurück, die er als ein

Paradies für sich betrachtete; denn er brannte für Begierde, dort seine Kunst von Grund aus zu erlernen. Das Verhältnis gegen seinen Vater aber preßte sein Herz ganz zusammen. Dieser hatte wohl gemerkt, daß Joseph sich gar nicht mehr mit Ernst und Eifer in seiner Wissenschaft anlegen wollte, hatte ihn auch schon halb aufgegeben und sich in seinen Mißmut, der mit zunehmendem Alter immer stärker ward, zurückgezogen. Er gab sich wenig mehr mit dem Knaben ab. Joseph indessen verlor darum sein kindliches Gefühl nicht; es kämpfte ewig mit seiner Neigung, und er konnte immer nicht das Herz fassen, in des Vaters Gegenwart über die Lippen zu bringen, was er ihm zu entdecken hatte. Ganze Tage lang peinigte er sich, alles gegeneinander abzuwägen, aber er konnte und konnte aus dem entsetzlichen Abgrunde von Zweifeln nicht herauskommen, all sein inbrünstiges Beten wollte nichts fruchten: das stieß ihm beinahe das Herz ab. Von dem über alles trübseligen und peinlichen Zustande, worin er sich damals befand, zeugen auch folgende Zeilen, die ich unter seinen Papieren gefunden habe:

Ach was ist es, das mich also dränget,
Mich mit heißen Armen eng umfänget,
Daß ich mit ihm fern von hinnen ziehen,
Daß ich soll dem Vaterhaus entfliehen?
Ach was muß ich ohne mein Verschulden
Für Versuchung und für Marter dulden!

Gottes Sohn! um Deiner Wunden willen,
Kannst Du nicht die Angst des Herzens stillen?
Kannst Du mir nicht Offenbarung schenken,
Was ich innerlich soll wohl bedenken?
Kannst Du mir die rechte Bahn nicht zeigen?
Nicht mein Herz zum rechten Wege neigen?

Wenn Du mich nicht bald zu Dir errettest
Oder in den Schoß der Erde bettest,

Muß ich mich der fremden Macht ergeben,
Muß, geängstigt, dem zu Willen leben,
Was mich zieht von meines Vaters Seite,
Unbekannten Mächten Raub und Beute! –

Seine Angst ward immer größer – die Versuchung, nach der herrlichen Stadt zu entfliehen, immer stärker. Wird denn aber, dachte er, der Himmel dir nicht zu Hülfe kommen? Wird er dir gar kein Zeichen geben? – Seine Leidenschaft erreichte endlich den höchsten Gipfel, als sein Vater bei einer häuslichen Mißhelligkeit ihn einmal mit einer ganz andern Art als gewöhnlich anfuhr und ihm seitdem immer zurückstoßend begegnete. Nun war es beschlossen; allen Zweifeln und Bedenklichkeiten wies er von nun an die Tür; er wollte nun durchaus nicht mehr überlegen. Das Osterfest war nahe; das wollte er noch zu Hause mitfeiern, aber sobald es vorüber wäre – in die weite Welt.
Es war vorüber. Er wartete den ersten schönen Morgen ab, da der helle Sonnenschein ihn bezaubernd anzulocken schien; da lief er früh aus dem Hause fort, wie man wohl an ihm gewohnt war – aber diesmal kam er nicht wieder. Mit Entzücken und mit pochendem Herzen eilte er durch die engen Gassen der kleinen Stadt; – ihm war zumut, als wollte er über alles, was er um sich sah, hinweg in den offenen Himmel hineinspringen. Eine alte Verwandte begegnete ihm an einer Ecke: »So eisig, Vetter?« fragte sie – »will Er wieder Grünes vom Markt einholen für die Wirtschaft?« – »Ja ja!« rief Joseph in Gedanken und lief vor Freude zitternd das Tor hinaus.
Wie er aber eine kleine Strecke auf dem Felde gegangen war und sich umsah, brachen ihm die hellen Tränen hervor. »Soll ich noch umkehren?« dachte er. Aber er lief weiter, als wenn ihm die Fersen brennten, und weinte immerfort, und es ließ, als wollte er seinen Tränen entlaufen. So ging's nun durch manches

fremde Dorf und manchen fremden Gesichtern vorbei: – der Anblick der fremden Welt gab ihm wieder Mut, er fühlte sich frei und stark – er kam immer näher – und endlich – gütiger Himmel! welch Entzücken! – endlich sah er die Türme der herrlichen Stadt vor sich liegen. – – –

Zweites Hauptstück

Ich kehre zu meinem Joseph zurück, wie er, mehrere Jahre nachdem wir ihn verlassen haben, in der bischöflichen Residenz Kapellmeister geworden ist und in großem Glanze lebt. Sein Anverwandter, der ihn sehr wohl aufgenommen hatte, war der Schöpfer seines Glücks geworden und hatte ihm den gründlichsten Unterricht in der Tonkunst geben lassen, auch den Vater über den Schritt Josephs nach und nach ziemlich beruhigt. Durch den lebhaftesten Eifer hatte Joseph sich emporgearbeitet und war endlich auf die höchste Stufe des Glücks, die er nur je hatte erwünschen können, gelangt.
Allein die Dinge der Welt verändern sich vor unsern Augen. Er schrieb mir einst, wie er ein paar Jahre Kapellmeister gewesen war, folgenden Brief:

»*Lieber Pater,*

es ist ein elendes Leben, das ich führe: – je mehr Ihr mich trösten wollt, desto bitterer fühl ich es. –
Wenn ich an die Träume meiner Jugend zurückdenke – wie ich in diesen Träumen so selig war! – Ich meinte, ich wollte in einemfort umherphantasieren und mein volles Herz in Kunstwerken auslassen, – aber wie fremd und herbe kamen mir gleich die ersten Lehrjahre an! Wie war mir zumut, als ich hinter den Vorhang trat! Daß alle Melodien (hatten sie auch die

heterogensten und oft die wunderbarsten Empfindungen in mir erzeugt), alle sich nun auf einem einzigen, zwingenden mathematischen Gesetze gründeten! Daß ich, statt frei zu fliegen, erst lernen mußte, in dem unbehülflichen Gerüst und Käfig der Kunstgrammatik herumzuklettern! Wie ich mich quälen mußte, erst mit dem gemeinen wissenschaftlichen Maschinenverstande ein regelrechtes Ding herauszubringen, eh' ich dran denken konnte, mein Gefühl mit den Tönen zu handhaben! – Es war eine mühselige Mechanik. – Doch wenn auch! ich hatte noch jugendliche Spannkraft und hoffte und hoffte auf die herrliche Zukunft! Und nun? – Die prächtige Zukunft ist eine jämmerliche Gegenwart geworden. –
Was ich als Knabe in dem großen Konzertsaal für glückliche Stunden genoß! Wenn ich still und unbemerkt im Winkel saß und all die Pracht und Herrlichkeit mich bezauberte und ich so sehnlich wünschte, daß sich doch einst um *meiner* Werke willen diese Zuhörer versammeln, ihr Gefühl *mir* hingeben möchten! – Nun sitz ich gar oft in ebendiesem Saal und führe auch meine Werke auf; aber es ist mir wahrlich sehr anders zumute. – Daß ich mir einbilden konnte, diese in Gold und Seide stolzierende Zuhörerschaft käme zusammen, um ein Kunstwerk zu genießen, um ihr Herz zu erwärmen, ihre Empfindung dem Künstler darzubringen! Können doch diese Seelen selbst in dem majestätischen Dom, am heiligsten Feiertage, indem alles Große und Schöne, was Kunst und Religion nur hat, mit Gewalt auf sie eindringt, können sie dann nicht einmal erhitzt werden, und sie sollten's im Konzertsaal? – Die Empfindung und der Sinn für Kunst sind aus der Mode gekommen und unanständig geworden; – bei einem Kunstwerk zu empfinden wäre grade ebenso fremd und lächerlich, als in einer Gesellschaft auf einmal in Versen und Reimen zu reden, wenn man sich sonst im ganzen Leben mit vernünftiger und ge-

meinverständlicher Prosa behilft. Und für diese Seelen arbeit ich meinen Geist ab! Für diese erhitz ich mich, es so zu machen, daß man dabei was soll empfinden können! Das ist die hohe Bestimmung, wozu ich geboren zu sein glaubte!
Und wenn mich einmal irgendeiner, der eine Art von halber Empfindung hat, loben will und kritisch rühmt und mir kritische Fragen vorlegt – so möcht ich ihn immer bitten, daß er sich doch nicht so viel Mühe geben möchte, das Empfinden aus den Büchern zu lernen. Der Himmel weiß, wie es ist – wenn ich eben eine Musik oder sonst irgendein Kunstwerk, das mich entzückt, genossen habe und mein ganzes Wesen voll davon ist, da möcht ich mein Gefühl gern mit *einem* Striche auf eine Tafel hinmalen, wenn's eine Farbe nur ausdrücken könnte. – Es ist mir nicht möglich mit künstlichen Worten zu rühmen, ich kann nichts Kluges herausbringen. –
Freilich ist der Gedanke ein wenig tröstend, daß vielleicht in irgendeinem kleinen Winkel von Deutschland, wohin dies oder jenes von meiner Hand, wenn auch lange nach meinem Tode, einmal hinkommt, ein oder der andre Mensch lebt, in den der Himmel eine solche Sympathie zu meiner Seele gelegt hat, daß er aus meinen Melodien grade das herausfühlt, was ich beim Niederschreiben empfand und was ich so gern hineinlegen wollte. Eine schöne Idee, womit man sich eine Zeitlang wohl angenehm täuschen kann! –
Allein das Allerabscheulichste sind noch alle die andern Verhältnisse, worin der Künstler eingestrickt wird. Von allen dem ekelhaften Neid und hämischen Wesen, von allen den widrig-kleinlichen Sitten und Begegnungen, von aller der Subordination der Kunst unter den Willen des Hofes; – es widersteht mir, *ein* Wort davon zu reden – es ist alles so unwürdig und die menschliche Seele so erniedrigend, daß ich nicht *eine* Silbe davon über die Zunge bringen kann. Ein

dreifaches Unglück für die Musik, daß bei dieser Kunst grade so eine Menge Hände nötig sind, damit das Werk nur existiert! Ich sammle und erhebe meine ganze Seele, um ein großes Werk zustande zu bringen; – und hundert empfindungslose und leere Köpfe reden mit ein und verlangen dieses und jenes.

Ich gedachte in meiner Jugend dem irdischen Jammer zu entfliehen und bin nun erst recht in den Schlamm hineingeraten. Es ist wohl leider gewiß; man kann mit aller Anstrengung unsrer geistigen Fittiche der Erde nicht entkommen; sie zieht uns mit Gewalt zurück, und wir fallen wieder unter den gemeinsten Haufen der Menschen. –

Es sind bedauernswürdige Künstler, die ich um mich herum sehe. Auch die edelsten so kleinlich, daß sie sich für Aufgeblasenheit nicht zu lassen wissen, wenn ihr Werk einmal ein allgemeines Lieblingsstück geworden ist. – Lieber Himmel! sind wir denn nicht die eine Hälfte unsers Verdienstes der Göttlichkeit der Kunst, der ewigen Harmonie der Natur, und die andre Hälfte dem gütigen Schöpfer, der uns diesen Schatz anzuwenden Fähigkeit gab, schuldig? Alle tausendfältigen lieblichen Melodien, welche die mannigfachsten Regungen in uns hervorbringen, sind sie nicht aus dem einzigen wundervollen Dreiklang entsprossen, den die Natur von Ewigkeit her gegründet hat? Die wehmutsvollen, halb süßen und halb schmerzlichen Empfindungen, die die Musik uns einflößt, wir wissen nicht wie, was sind sie denn anders als die geheimnisvolle Wirkung des wechselnden Dur und Moll? Und müssen wir's nicht dem Schöpfer danken, wenn er uns nun grade das Geschick gegeben hat, diese Töne, denen von Anfang her eine Sympathie zur menschlichen Seele verliehen ist, so zusammenzusetzen, daß sie das Herz rühren? – Wahrhaftig, die *Kunst* ist es, was man verehren muß, nicht den Künstler; – der ist nichts mehr als ein schwaches Werkzeug.

Ihr seht, daß mein Eifer und meine Liebe für die Musik nicht schwächer ist als sonst. Nur eben darum bin ich so unglücklich in diesem – – doch ich will's lassen und Euch mit der Beschreibung von all dem widrigen Wesen um mich herum nicht verdrießlich machen. Genug, ich lebe in einer sehr unreinen Luft. Wie weit idealischer lebte ich damals, da ich in unbefangener Jugend und stiller Einsamkeit die Kunst noch bloß *genoß*, als itzt, da ich sie im blendendsten Glanze der Welt, und von lauter seidenen Kleidern, lauter Sternen und Kreuzen, lauter kultivierten und geschmackvollen Menschen umgeben, ausübe! – Was ich möchte? – Ich möchte all diese Kultur im Stiche lassen und mich zu dem simplen Schweizerhirten ins Gebirge hinflüchten und seine Alpenlieder, wonach er überall das Heimweh bekömmt, mit ihm spielen.« – – –

Aus diesem fragmentarisch geschriebenen Briefe ist der Zustand, worin Joseph sich in seiner Lage befand, zum Teil zu ersehen. Er fühlte sich verlassen und einsam unter dem Gesumme so vieler unharmonischen Seelen um ihn her; – seine Kunst ward tief entwürdigt dadurch, daß sie auf keinen einzigen, soviel er wußte, einen lebhaften Eindruck machte, da sie ihm doch nur dazu gemacht schien, das menschliche Herz zu rühren. In manchen trüben Stunden verzweifelte er ganz und dachte: »Was ist die Kunst so seltsam und sonderbar! Hat sie denn nur für mich allein so geheimnisvolle Kraft und ist für alle andre Menschen nur Belustigung der Sinne und angenehmer Zeitvertreib? Was ist sie denn wirklich und in der Tat, wenn sie für alle Menschen nichts ist und für mich allein nur etwas? Ist es nicht die unglückseligste Idee, diese Kunst zu seinem ganzen Zweck und Hauptgeschäft zu machen und sich von ihren großen Wirkungen auf die menschlichen Gemüter tausend schöne Dinge einzubilden? von dieser Kunst, die im wirklichen irdischen Leben keine andre

Rolle spielt als Kartenspiel oder jeder andre Zeitvertreib?«

Wenn er auf solche Gedanken kam, so dünkte er sich der größte Phantast gewesen zu sein, daß er so sehr gestrebt hatte, ein ausübender Künstler für die Welt zu werden. Er geriet auf die Idee, ein Künstler müsse nur für sich allein, zu seiner eignen Herzenserhebung, und für einen oder ein paar Menschen, die ihn verstehen, Künstler sein. Und ich kann diese Idee nicht ganz unrecht nennen. –

Aber ich will das übrige von meines Josephs Leben kurz zusammenfassen, denn die Erinnerungen daran werden mir sehr traurig.

Mehrere Jahre lebte er als Kapellmeister so fort, und seine Mißmütigkeit und das unbehagliche Bewußtsein, daß er mit allem seinen tiefen Gefühl und seinem innigen Kunstsinn für die Welt nichts nütze und weit weniger wirksam sei als jeder Handwerksmann, nahm immer mehr zu. Oft dachte er mit Wehmut an den reinen, idealischen Enthusiasmus seiner Knabenzeit zurück und daneben an seinen Vater, wie er sich Mühe gegeben hatte, ihn zu einem Arzte zu erziehen, daß er das Elend der Menschen mindern, Unglückliche heilen und so der Welt nützen sollte. Vielleicht wär's besser gewesen! dachte er in manchen Stunden.

Sein Vater war indes bei seinem Alter sehr schwach geworden. Joseph schrieb immer seiner ältesten Schwester und schickte ihr zum Unterhalt für den Vater. Ihn selber zu besuchen konnte er nicht übers Herz bringen; er fühlte, daß es ihm unmöglich war. Er ward trübsinniger; – sein Leben neigte sich hinunter.

Einst hatte er eine neue schöne Musik von seiner Hand im Konzertsaal aufgeführt: es schien das erstemal, daß er auf die Herzen der Zuhörer etwas gewirkt hatte. Ein allgemeines Erstaunen, ein stiller Beifall, welcher weit schöner als ein lauter ist, erfreute ihn mit der Idee, daß er vielleicht diesmal seine Kunst

würdig ausgeübt hätte; er faßte wieder Mut zu neuer Arbeit. Als er hinaus auf die Straße kam, schlich ein sehr armselig gekleidetes Mädchen an ihn heran und wollte ihn sprechen. Er wußte nicht, was er sagen sollte; er sah sie an – »Gott!« rief er: – es war seine jüngste Schwester im elendesten Aufzuge. Sie war von Hause zu Fuß hergelaufen, um ihm die Nachricht zu bringen, daß sein Vater todkrank niederliege und ihn vor seinem Ende sehr dringend noch einmal zu sprechen verlange. Da war wieder aller Gesang in seinem Busen zerrissen; in dumpfer Betäubung machte er sich fertig und reiste eilig nach seiner Vaterstadt.
Die Szenen, die am Todbette seines Vaters vorfielen, will ich nicht schildern. Man glaube nicht, daß es zu weitläuftigen und wehmütigen gegenseitigen Erörterungen kam; sie verstanden sich ohne viele Worte sehr inniglich; – wie denn darin überhaupt die Natur unserer recht zu spotten scheinet, daß die Menschen sich erst in solchen kritischen letzten Augenblicken recht verstehen. Dennoch ward Joseph von allem bis ins Innerste zerrissen. Seine Geschwister waren im betrübtesten Zustande; zwei davon hatten schlecht gelebt und waren entlaufen; die älteste, der er immer Geld schickte, hatte das meiste vertan und den Vater darben lassen; diesen sah er endlich vor seinen Augen elendiglich sterben: – ach! es war entsetzlich, wie sein armes Herz durch und durch verwundet und zerstochen ward. Er sorgte für seine Geschwister, so gut er konnte, und kehrte zurück, weil ihn Geschäfte abriefen.
Er sollte zu dem bevorstehenden Osterfest eine neue Passionsmusik machen, auf welche seine neidischen Nebenbuhler sehr begierig waren. Helle Ströme von Tränen brachen ihm aber hervor, sooft er sich zur Arbeit niedersetzen wollte; er konnte sich vor seinem zerrissenen Herzen nicht erretten. Er lag tief daniedergedrückt und vergraben unter den Schlacken dieser

Erde. Endlich riß er sich mit Gewalt auf und streckte mit dem heißesten Verlangen die Arme zum Himmel empor; er füllte seinen Geist mit der höchsten Poesie, mit lautem, jauchzendem Gesange an und schrieb in einer wunderbaren Begeisterung, aber immer unter heftigen Gemütsbewegungen, eine Passionsmusik nieder, die mit ihren durchdringenden und alle Schmerzen des Leidens in sich fassenden Melodien ewig ein Meisterstück bleiben wird. Seine Seele war wie ein Kranker, der in einem wunderbaren Paroxismus größere Stärke als ein Gesunder zeigt.

Aber nachdem er das Oratorium am heiligen Tage im Dom mit der heftigsten Anspannung und Erhitzung aufgeführt hatte, fühlte er sich ganz matt und erschlafft. Eine Nervenschwäche befiel gleich einem bösen Tau alle seine Fibern; – er kränkelte eine Zeitlang hin und starb nicht lange darauf in der Blüte seiner Jahre. – –

Manche Träne hab ich ihm geschenkt, und es ist mir seltsam zumut, wenn ich sein Leben übersehe. Warum wollte der Himmel, daß sein ganzes Leben hindurch der Kampf zwischen seinem ätherischen Enthusiasmus und dem niedrigen Elend dieser Erde ihn so unglücklich machen und endlich sein doppeltes Wesen von Geist und Leib ganz voneinander reißen sollte!

Wir begreifen die Wege des Himmels nicht. – Aber laßt uns wiederum die Mannigfaltigkeit der erhabenen Geister bewundern, welche der Himmel zum Dienste der Kunst auf die Welt gesetzt hat.

Ein Raffael brachte in aller Unschuld und Unbefangenheit die allergeistreichsten Werke hervor, worin wir den ganzen Himmel sehn; – ein Guido Reni, der ein so wildes Spielerleben führte, schuf die sanftesten und heiligsten Bilder; – ein Albrecht Dürer, ein schlichter nürnbergischer Bürgersmann, verfertigte in eben der Zelle, worin sein böses Weib täglich mit ihm zankte, mit emsigem mechanischem Fleiße gar seelen-

volle Kunstwerke; – und Joseph, in dessen harmonischen Werken so geheimnisvolle Schönheit liegt, war verschieden von diesen allen!
Ach! daß eben seine *hohe Phantasie* es sein mußte, die ihn aufrieb? – Soll ich sagen, daß er vielleicht mehr dazu geschaffen war, Kunst zu *genießen* als *auszuüben*? – Sind diejenigen vielleicht glücklicher gebildet, in denen die Kunst still und heimlich wie ein verhüllter Genius arbeitet und sie in ihrem Handeln auf Erden nicht stört? Und muß der Immerbegeisterte seine hohen Phantasien doch auch vielleicht als einen festen Einschlag kühn und stark in dieses irdische Leben einweben, wenn er ein echter Künstler sein will? – Ja, ist diese unbegreifliche Schöpfungskraft nicht etwa überhaupt ganz etwas anderes und – wie mir jetzt erscheint – etwas noch Wundervolleres, noch Göttlicheres als die Kraft der Phantasie? –
Der Kunstgeist ist und bleibet dem Menschen ein ewiges Geheimnis, wobei er schwindelt, wenn er die Tiefen desselben ergründen will; – aber auch ewig ein Gegenstand der höchsten Bewunderung: wie denn dies von allem Großen in der Welt zu sagen ist. – –
Ich kann aber nach diesen Erinnerungen an meinen Joseph nichts mehr schreiben. – Ich beschließe mein Buch – und möchte nur wünschen, daß es einem oder dem andern zur Erweckung guter Gedanken dienlich wäre. –

Zur Textgestalt

Der Text folgt der anonym erschienenen Erstausgabe *Herzensergießungen eines kunstliebenden Klosterbruders*, Berlin: Unger, 1797. Die Orthographie wurde behutsam modernisiert unter Wahrung des Lautstands (auch im Falle älterer Flexionsendungen), die Interpunktion – unter Beibehaltung besonderer rhythmischer Akzentuierungen – den heutigen Usancen angeglichen. Durchgängig der heutigen Schreibung angepaßt wurden die Namen Raffael, Michelangelo Buonarroti und Willibald Pirckheimer. In den Text eingegriffen wurde in folgenden Fällen: 10,34 Licht strahle (< Lichtstrahle), 12,20 bewillkommnen (< bewillkommen), 27,18 Jacobos (< Jacob's), 34,29 geringgeachtetsten (< geringgeachtesten), 35,13 einen Sohn (< ein Sohn), 72,16 Unbedeutendheit (< Unbedeutenheit). Worthervorhebungen durch Sperrung oder Großschreibung (z. B.: Ein) wurden einheitlich kursiv wiedergegeben, typographische Differenzierungen in den Überschriften nicht nachgeahmt.

Nachwort

Obgleich die *Herzensergießungen eines kunstliebenden Klosterbruders* unter dem Namen zweier Autoren in die Literaturgeschichte eingegangen sind, besteht doch kein Zweifel, daß wir als den eigentlichen Schöpfer und geistigen Eigentümer Wackenroder anzusehen haben. Für die Zeitgenossen war das anders gewesen. Das schmale Bändchen, von dem so gewaltige Wirkung ausging, erschien anonym im Herbst 1796, mit der Jahreszahl 1797, bei Johann Friedrich Unger in Berlin, der in gleichem Format und in gleicher Type soeben Goethes *Wilhelm Meisters Lehrjahre* herausgebracht hatte. Obgleich Tieck nachträglich den Namen des eigentlichen Verfassers nannte, als er 1799 den Nachlaß des frühverstorbenen Freundes in den *Phantasien über die Kunst* herausgab, blieb dieser lange ganz im Hintergrund: der Überlebende, vom Glanz seiner ersten romantischen Dichtungen umstrahlt, behielt den Ruhm der Autorschaft für die große Öffentlichkeit allein; und noch der junge Schopenhauer, der von diesen Schriften entscheidenden Einfluß erfuhr, spricht von Tieck, wenn er wörtlich Wackenroder zitiert.

Ludwig Tieck und Wilhelm Heinrich Wackenroder stammten aus Berlin und waren gleichen Alters: Tieck am 31. Mai, Wackenroder am 13. Juli 1773 geboren. Von Jugend auf sind sie innig befreundet – Tieck ist eines Seilermeisters Sohn; Wackenroders Vorfahren sind Gelehrte: Geistliche, Professoren, Juristen, deren Ahnen, wie es heißt, im 15. Jahrhundert wegen der Hussitenkriege aus Mähren ausgewandert waren und sich in Pommern (Rügen, Stralsund) ansässig gemacht hatten. Wer geistige Begabung sich an Stamm und Landschaft gebunden denkt, mag der südöstlichen Herkunft ein sehr altes musikalisches Erbe zurechnen, bei der nördlichen Küstenlandschaft sich aber erinnern, daß aus ihr die beiden bedeutendsten romantischen Maler hervorgingen: Caspar David Friedrich (1774, aus Greifswald) und Philipp Otto Runge (1777, aus Wolgast).

Wackenroders Vater war erst 1748 nach Berlin gekommen und bald zum hohen preußischen Beamten aufgestiegen, als Erster Justizbürgermeister und Geheimer Kriegsrat. Man rühmte an ihm große Sorgfalt und Ordnungsliebe, aber auch, bei aller Strenge, Bescheidenheit und Zurückhaltung. Sein geistiger Grundzug muß rationale Nüchternheit gewesen sein. So ist es bezeichnend, daß er mit dem Odendichter Ramler befreundet war, einem typischen Vertreter regelhafter Verstandespoesie, von dem der Sohn Wackenroder die ersten Begriffe von Dichtung empfing, mit der Zeit aber sehr skeptisch von ihm denken lernte. Die künstlerische Begabung, die sich gegen dieses rationalistische Milieu geltend machte, muß dem Sohn, wenn nicht von früheren pommerschen Ahnen, von der Mutter zugekommen sein, von der wir indes nichts Näheres wissen. Daß sie ein Jahr nach dem frühen Tod des einzigen Sohnes starb, mag auf eine geheime Tragik deuten: daß sie ihn vielleicht verstand und mit ihm daran litt, daß er nicht seiner Begabung folgen durfte. So fremd der Vater den künstlerischen Neigungen des Sohnes sein mußte, eine sorgfältige und umfassende Bildung ließ er ihm angedeihen, und wird wohl auch damit einverstanden gewesen sein, daß er bei Fasch, dem Begründer der Berliner Singakademie, und später bei Zelter sich zum Geigenspiel und in der Komposition ausbildete. Daß er dies zum Hauptberuf machen dürfe, kam freilich nicht in Betracht; er war zum Juristen bestimmt. Die fürsorgliche Strenge des Vaters bekam er zu spüren, als er nach Absolvierung des Gymnasiums noch nicht die Universität beziehen durfte, sondern noch ein Jahr in Berlin bei einem Assessor sich auszubilden hatte.
Der an sich so schmerzlichen Trennung vom Freunde Tieck, der jetzt bereits in Halle und Göttingen studieren konnte, verdanken wir die einzigen Dokumente dieser Freundschaft: die Briefe, die sie von April 1792 bis März 1793 wechselten. Sie gewähren einen Einblick in die literarischen, Theater- und Musik-Interessen der beiden, lassen schon etwas von dem Kampf des »ätherischen Enthusiasmus« mit

der gewöhnlichen Beschaffenheit der Menschen in Wackenroders Seele ahnen, sein reifes Urteil bewundern, auch gegenüber Tieck, der, unausgeglichen, mit dämonischen Anwandlungen spielt; an einflußreichen Berliner Freunden werden Karl Philipp Moritz genannt und Johann Friedrich Reichardt, der Musiker; als neue Bekanntschaft Wackenroders taucht der junge Architekt Gilly auf – »Das ist ein Künstler! So ein verzehrender Enthusiasmus für alte griechische Simplizität!« – Wir hören von Wackenroders altdeutschen Studien bei Erduin Koch, und wie er vergeblich den Freund für die Minnesinger zu begeistern sucht. Von archäologischen Interessen erfahren wir, aber noch nichts von altdeutscher oder italienischer Kunst, obgleich Wackenroder damals Dresden besucht, doch mit Verwandten, die ihn in Antikensammlung und Galerie nicht zu tieferen Eindrücken gelangen lassen. Erst der Aufenthalt im Süden Deutschlands bringt hier die große Bereicherung und bald alles durchdringende Wandlung.

Es war lediglich im Sinne eines korrekten preußischen Patriotismus gedacht gewesen, daß der Vater als erste Universität Erlangen bestimmte, das mit dem Fürstentum Bayreuth nach dem Tod des letzten Markgrafen soeben, 1791, an Preußen übergegangen war; er ahnte nicht, welche Welten dem Sohne sich hier aufschließen sollten. Denn von hier aus war nach Süden in wenigen Stunden Nürnberg zu erreichen und nach Norden außer Bayreuth das nähere Bamberg mit der ganzen Kulturlandschaft des fränkischen Barock. Von den Ausflügen und Reisen, die sich so ergaben, sind uns fünf durch Briefberichte Wackenroders an die Eltern belegt; da diese bis auf eine ohne Tieck unternommen wurden, müssen es sicher noch mehr gewesen sein, da ja auch Tieck später von Bamberg und Nürnberg berichtet. Wir dürfen uns hierbei Wackenroder als den Führenden denken, insofern er überallhin die nötigen Empfehlungen hatte und in Bibliotheken und Sammlungen eigenen Studien nachging, auch Tieck wohl pekuniär von ihm abhing. Wir haben ihn uns trotz seiner Sensibilität keineswegs als unerfahren und weltfremd vorzustellen und als einen, der bloß seinen Enthusiasmus zur Schau trägt – »Wackenroder hat etwas sehr Verschlossenes, keiner wagt sich an ihn so leicht, und bei aller Bescheidenheit hat er ein sehr imponierendes Ansehn, sehr etwas Altes«, heißt es von ihm; während Tieck dann gewiß der Gewandtere war, gern Bekanntschaften machte, liebenswürdig und bezaubernd im Umgang sein konnte. Von Wackenroders pflichtmäßigen Berichten nach Hause sind keine intimen Bekenntnisse zu erwarten; es war wesentlich das, was der Vater hören wollte: Beobachtung von Land und Leuten, Besuch von Fabriken und Bergwerken, Angaben über Handel und Industrie. Auch wo von künstlerischen und religiösen Eindrücken die Rede ist, muß immer die Rücksicht auf den Empfänger und dessen Neigung und Fassungskraft vorausgesetzt werden. Und bei Wackenroder selber dürfen wir nie die Herkunft aus ästhetisch klassizistischer Gewohnheit vergessen, da er zunächst noch von Winckelmann, Schiller und Goethe, von Moritz und Gilly ausgeht, und vom Barock ja schon um eine Generation weiter als Goethe entfernt ist. Um so erstaunlicher ist, was dennoch hie und da an neuer Erkenntnis durchscheint und umstürzende Erlebnisse verrät; wenn auch hier seine grundsätzliche Toleranz und Menschenliebe in der Kunst ihn jede Einseitigkeit meiden ließ.

Die erste Reise, mit Tieck in den Pfingstferien 1793 (21. bis 31. Mai) unternommen, führt nach Bayreuth, über Hof bis an die böhmische Grenze und über Kulmbach und die Muggendorfer Tropfsteinhöhlen zurück. Zuerst geht es durch Bambergisches Gebiet, und als Neues begegnen ihnen am Weg »weiße vergoldete Christusbilder, an hohen roten Kruzifixen, und kleine Kapellen«. Bayreuth wird mit Schlössern und Palästen, mit Fantaisie und Eremitage ausführlich geschildert; auch die größte Sehenswürdigkeit wird ihnen zuteil, das Italienische Opernhaus; aber ein – vielleicht überbetonter – klassischer Purismus hat einiges auszusetzen: es ist »von außen mit einem sehr großen ungeschickten Balkon versehen, inwendig sehr reich und prächtig, aber ebenso altmodisch und geschmacklos mit Gold verziert«, aber doch eines der größten und prächtigsten der Welt. Man denkt unwillkürlich an Winckelmann, der schon in seiner Erstlingsschrift gegen die »Vergöldungen« des Barock polemisiert hatte. Aber nicht vom Repräsentativ-Fürstlichen her, wie es sich in dem Wunderbau Bibbienas auf der Höhe zeigte, sondern vom Religiösen aus sollte Wackenroder dem Barock nahekommen. Vorbereitung dafür ist ihm Nürnberg, das er zum erstenmal allein am 22. Juni, nach einer Fußwanderung von drei Stunden, betritt – er hat hier eigentlich nur von seinem Lehrer Koch an allerlei Gelehrte, wie den Polyhistor von Murr, den Inkunabelforscher Panzer, wissenschaftliche Bestellungen auszurichten; aber da umfängt ihn der ganze Zauber der alten, wie aus dunkler Vergangenheit unversehrt stehengebliebenen Reichsstadt, und er verweilt gegen seine Absicht mehrere Tage. Wir staunen, wenn wir dabei erfahren, was ihm alles schon an Inkunabeln und Handschriften vertraut ist, wie schnell er, überall freundlich aufgenommen, in Altertumsläden, Bibliotheken, Sammlungen sich zurechtfindet. Aber das Entscheidende ist doch: »Die Stadt kann ich nicht genug mit Verwunderung ansehen, weil man kein einziges neues Gebäude, sondern lauter alte, vom 10. Säkulum an, findet, so wird man ganz ins Altertum versetzt und erwartet immer einem Ritter oder einem Mönch oder einem Bürger in alter Tracht zu begegnen, denn die neue Tracht paßt gar nicht zu dem Kostüm in der Baukunst.« Und dann fällt das Wort: »Man kann sie, ihres Äußern wegen, in der Art romantisch nennen. Mit jedem Schritt heftet sich der Blick auf ein Stück des Altertums, auf ein Kunstwerk in Stein oder in Farben.« Das alles – er spricht es vor dem Sakramentshäuschen in der Lorenzkirche aus – ist »von katholischen Zeiten her«; er erkennt den Ursprung aller abendländischen Kunst aus dem Christentum, eine Wahrheit, von der das 18. Jahrhundert nichts mehr wußte oder wissen wollte. Vier Wochen später kann er dem Vater melden, daß er wieder »eine für ihn ganz neue Welt, die katholische Welt«, kennengelernt habe – er war am 12. Juli, wiederum allein, nach Bamberg gefahren und hatte sich fünf Tage da verweilt. Was in Nürnberg Vergangenheit war, ist hier noch Gegenwart. In dem für ihn »so merkwürdigen antiken Dom« wohnt er am Heinrichsfest dem Hochamt bei; er beschreibt es ausführlich, schildert die Frömmigkeit der Umstehenden mit Niederfallen, Seufzen, Bekreuzungen und Aufschlagen des Blicks beim Gebet; wie es später, unter gleichen Gefühlen, Kleist in der Dresdner Hofkirche erlebt – »man wird hier ganz in den katholischen Geist eingeweiht und fast gereizt, alle Zeremonien mitzumachen«, schreibt Wackenroder. Es werden noch von ihm alle fünf Bambergischen Klöster besucht, die einzelnen Orden aufs genaueste beschrieben, die Bibliotheken mit Kennerschaft gewürdigt. Am 14. August geht es ein zweites Mal nach Bamberg, diesmal auch nach dem Kloster Banz; und jetzt ist es das Erleben einer Prozession, was ihn beeindruckt. Im Anschluß daran wird Schloß Pommersfelden, wie wir hören schon das zweite Mal, besucht: da hat er nun eine große Bildergalerie, die er in Muße betrachten, sich über jedes Bild Aufzeichnungen machen kann; besonders ergreift ihn eine Madonna, die man dem Raffael zuschreibt. Ganz ohne Vorbehalt steht er nun vor dem Barock der Architektur und kann sich an dem »herrlichen Treppenhaus« nicht sattsehen. Er wird bei seiner Abreise nach Göttingen zu Michaelis ein drittes Mal noch hier verweilen. Vorher ist er, vom 25. September an, noch einmal in Nürnberg gewesen, um die Summe seiner Entdeckungen zu ziehen; dies geschieht auf der Rückreise von Ansbach, wo er auch das Kloster Heilsbronn mit seiner herrlichen alten Kirche besucht.

Dies ist das Tatsächliche, was wir uns von dem fränkischen Sommer an Hand seiner Berichte vergegenwärtigen können. Ob die Vielfalt der Erlebnisse sich ihm jetzt schon zusammenschloß: wie die mitgebrachte Kunde vom Altdeutschen auch die mittelalterliche Kunst in sich aufnahm, der christliche Grund offenbar wurde, die Renaissance im gleichen Sinne in Pommersfelden sich ihm erschloß, und in der noch lebenden Kultur des Barock auch die Existenz der Musik deutlich wurde, da er sie mit Pauken und Trompeten auch am Kult mitwirken sah und von seinen Meistern der Oper und Symphonie begriff, daß sie von ihren freiesten Werken auch immer zu diesem Dienst zurückfanden, da sie ja alle, auch Mozart und Haydn, der »katholischen Welt« zugehörten – das wissen wir nicht; wie wir auch nicht im einzelnen sagen können, wie er sich in dem nun folgenden Semester in Göttingen beim Kunsthistoriker Fiorillo, beim Bach-Forscher Forkel seine Erlebnisse theoretisch unterbaute, und vor allem über die italienische Malerei im Vasari und Bellori, über die altdeutsche im Sandrart urkundlich unterrichtete. Sein ganzes Leben muß fortan unter jenen Eindrücken gestanden haben. Aber niemand, auch der Freund Tieck nicht, erfährt von dem, was sich innerlich in ihm abspielt. Als er dann mit Tieck zusammen 1796 die Dresdner Galerie besucht, da mag er wohl vor den Bildern bestätigt gefunden haben, was er über Kunst versucht hatte auszusprechen – er faßt Mut, sein Manuskript Tieck mitzuteilen. Und der Freund, dem all dies vor ganz anderen literarischen Plänen längst untergesunken war, ist überwältigt; sein dichterischer Spürsinn erkennt das Neue, Ungemeine. Er ist es, der jetzt zur Veröffentlichung drängt. Das für die Zeit Sensationellste, das *Ehrengedächtnis Dürers*, gibt er dem gemeinsamen Freund Reichardt in sein Journal *Deutschland* (es trägt noch im späteren Buch den Untertitel *Von einem kunstliebenden Klosterbruder*, mit dem es dort gedruckt wurde, was im Buch ja überflüssig war). Auch der Titel des Klosterbruders soll von Reichardt stammen; aber höchstens die ausdrückliche Benennung; denn die Figur war zu organisch durchs ganze Werk angelegt, als daß sie nachträglich hinzugefügt sein könnte. Es ist ja der Sinn, daß nur in einem Pater des Barock all das vereint zu denken war: Bildwelt des Mittelalters und der Renaissance, Bücherkunde alter Zeiten, Wissen um die neueste

soeben in Mozart und Haydn erschienene Musik; alles durchdrungen von religiöser Andacht zur Kunst. Bedenklicher war der Eingriff, den der schnell einfühlende und immer federfertige Tieck sich erlaubte, indem er eigene, Wackenroder nachgebildete Stücke dazu gab, die den reinen, fast evangelisch schlichten Ton leise oder stärker verfälschen oder mit viel Versen spielerisch variieren. Tieck hat sie selbst später bezeichnet; es sind von den 18 Stücken zwar nur vier, die ihm gehören; aber sie haben den Charakter des Ganzen gerade in dem Sinne verändert, wie die Zeit ihn mißverstehen mußte. So trat das Werk ans Licht und hat vielleicht durch manches Gefällige, aber auch durch Überbetonung des Religiösen bis zu der Möglichkeit des Übertritts zum alten Glauben das Aufsehenerregende verstärkt. Es stammt von Tieck schon die etwas salbungsvolle Vorrede; dann die *Sehnsucht nach Italien*, der Brief des jungen florentinischen Malers und der Brief des jungen deutschen Malers aus Rom, der am deutlichsten von Wackenroders Gesinnung sich scheidet.
Der historischen Wirkung wegen: in welcher Form die Zeit Wackenroder empfing, ist es wichtig, die Originalausgabe, wie sie war, zu kennen. Es wird dann auch die Gegnerschaft Goethes begreiflich, der schon bald vom »Klosterbrudrisieren« sprach und noch zwanzig Jahre später Wackenroder für die nazarenische Richtung in Rom verantwortlich machte; die Anonymität des Büchleins ermöglichte das, wo die Beiträge der Freunde ja nicht zu scheiden waren. Heute darf man, etwa bei einer zweiten Lektüre, die Stücke Tiecks fortlassen; und man wird in dem, was man nun rein als Wackenroder vor sich hat, einen sorgsamen Aufbau mit bewußten oder instinktiven Steigerungen erkennen. Von den vierzehn Stücken erscheint dann das siebente, das *Ehrengedächtnis Albrecht Dürers*, als Mittelpunkt; die Vorbereitung dazu gibt der Aufsatz über Toleranz und Menschenliebe in der Kunst; die auf den Dürer folgende Betrachtung über die zwei wunderbaren Sprachen stellt das Glaubensbekenntnis des Klosterbruders dar, seine

Andacht zur Natur und zur Kunst, die allein auszudrücken vermögen, was sonst unaussprechlich ist. –
Bis zu dieser Mitte sind es wesentlich Geschichten von italienischen Malern, in denen sich Wackenroder, der ja außer dem vermeintlichen Raffael in Pommersfelden nichts von den älteren Meistern gesehen hatte, ihre Atmosphäre wenigstens zu vergegenwärtigen sucht und als Bücherkundiger leicht zu den Quellen fand. Die Erscheinung Raffaels zu Beginn will das höhere Wesen im Künstler, die gleichsam religiöse Eingebung, deutlich machen. Die übrigen bringen die Weite der verschiedenen Kunstmöglichkeiten zur Anschauung oder kreisen um das Problem des Ranges des einzelnen oder ihres Ringens um die Kunst. Hier ist meist Vasari benutzt, den die Göttinger Bibliothek in der ersten Ausgabe von 1550 und in späteren besaß, zum Teil auch Belloris Malerbuch. Die Erzählung ist manchmal wörtlich übertragen, dann wieder mit erstaunlichem Vermögen verdichtet oder in anderer Wendung und Steigerung eindringlicher gemacht.
Auf den Leonardo, welcher der Übersetzung von dessen Vita durch J. G. Bohm von 1747 folgt, kommt, kurz vor der Mitte, jene einzigartige Bekundung des Dichters Wackenroder, der die Madonna mit dem Kind und mit den drei Königen in wundersamen Versen malt, die aus einem alten Weihnachtsspiel genommen sein könnten. Es gehört zu der Ahnungslosigkeit, in der man lange Zeit vor Wackenroder stand, daß man diese Herrlichkeit Tieck zuschrieb, bloß weil es Verse waren; da doch solche naive Bildhaftigkeit und vorbildlose Rhythmik abgrundtief auch von den besten Reimereien Tiecks geschieden ist. – Im *Dürer* ist Wackenroder einem deutschen Gewährsmann des 17. Jahrhunderts gefolgt, den er schon in Nürnberg kennengelernt haben mag, dem Joachim Sandrart in seiner *Teutschen Akademie der edlen Bau-, Bild- und Malerei-Künste*. Jener Mitte folgen dann wieder italienische Künstlergeschichten, auch der Michelangelo nach dem Vasari. Vor der letzten Zusammenfassung steht wieder ein Gedicht. *Die Bildnisse der Ma-*

ler, das heißt die wundersamen Inkarnationen der Kunst in ihrem Angesicht, durch die Erscheinung Raffaels gekrönt; bei welchem man das Bild nachschlagen müßte, das dem Titel der *Herzensergießungen* gegenübersteht in der Originalausgabe mit der Unterschrift: »Der Göttliche Raphael.« Mit der *Malerchronik* ist dann die bildende Kunst abgeschlossen – es ist eine Überschau, in einer Galerie lokalisiert, bei der wir an Pommersfelden denken müssen, und wieder ist Vasari der Gewährsmann, für Domenicchino und Caracci der Bellori – Giotto, Beccafumi, Contucci, Albertinelli, Fra Angelico, Parmeggiano, Perugino tauchen auf; sogar der Franzose Callot (nach Felibien); und es wird geradezu angegeben, wie man sich den Künstlercharakter dieser verschollenen Meister vergegenwärtigen muß: indem man eben die in ganz trockenen Worten erzählten Geschichten mit dem rechten innigen Gefühle fasse.

Damit nimmt, in einer letzten Summierung, Wackenroder Abschied vom Altertum der Kunst, und läßt seinen Klosterbruder »zu den gegenwärtigen Zeiten« sich wenden – die nur in der Musik etwas der älteren Kunsthöhe Vergleichbares besitzen. Aber es ist keine Verherrlichung etwa seines Mozart, was er da gibt, kein wirklicher Künstler der Zeit, sondern eine erdichtete Gestalt. Und es ist eine tragische Gestalt, wie wir sie nach allen bisherigen Bekenntnissen zur Kunst von ihm nicht erwarten – es ist seine, Wackenroders eigene Tragödie, die er im *Leben des Berglinger* dargestellt hat. Deutlicher als in allen andern Stücken ist hier das katholische Süddeutschland der Hintergrund, das Land seiner Kunst- und Musik-Erlebnisse und Erkenntnisse; eine bischöfliche Residenz ist das Ziel der Sehnsucht seines heranwachsenden Helden, später der Wirkungskreis; wir finden Schilderungen des Musikerlebens in der Kirche wie im höfischen Konzertsaal. Aber die Tragödie dieses Ebenbildes ist nicht, daß er in seiner Kunst scheitert, sondern daß er verzweifelt, weil die Kunst im Leben nicht die hohe Rolle spielt, wie seine Seele sie allein fordert und versteht. Der plötzliche Tod inmitten errungener Leistung und

Erfüllung ist eigenes vorausgeahntes Schicksal – ein Jahr nach dem Erscheinen der *Herzensergießungen* ist Wackenroder, am 13. Februar 1798, an einem Nervenfieber gestorben. Seine zarte Organisation war dem Zwang zu dem ungeliebten, ja verhaßten Beruf nicht gewachsen; er hatte nicht ganz und einzig seiner Kunst leben dürfen. Es war wohl ein Trost, sich die Erfüllung zu erdichten, ein kunstgeweihtes Leben zu schildern, wie es ihm nicht vergönnt war, und es doch scheitern zu lassen, aus Gründen, die tief im Wesen dieser Kunst liegen, »die im wirklichen Leben keine andre Rolle spielt als Kartenspiel und jeder andre Zeitvertreib«. Seine illusionslose Erkenntnis der Welt, die nicht zufällig so oft an Schopenhauer gemahnt, aber nur, weil dieser von ihm seinen Ausgang nahm, hatte ihm das wahre Schicksal der neueren Musik offenbart: ihre Wirkungslosigkeit auf die Gestaltung von Mensch und Welt. Und hier wird Wackenroders Verkündung zeitlos und auch wieder aufs höchste aktuell: wir stehen im Grunde wieder, wo er stand, und wissen heute, daß die großen Offenbarungen dieser Kunst so gut wie vergeblich waren und nur noch wenige berühren, die sich gleichsam immer in der Zelle des Einsiedlers befinden. Sein letztes Denken kreiste ja, wie der Nachlaß zeigt, den Tieck in den *Phantasien über die Kunst* herausgab, um das Geheimnis der absoluten Musik, der Symphonie. Sie ist die Kunst, die nicht mehr an Ort und Zeit, an Tradition und Kult gebunden ist, sondern freischwebend ein neues Göttliches sucht, und eben deshalb nicht ins Leben eingeht. Sein Erleben der Kunst auch in diesem neuen freiesten Bereich war ihm ernst; er hat daraufhin gelebt und ist darauf gestorben. Er durfte wahrlich von sich sagen: »Es ist mir gelungen, einen neuen Altar zur Ehre Gottes aufzubauen.« Die Gemeinde sammelte sich nicht. Aber seine *Herzensergießungen* werden immer wieder einzelne Herzen finden, und seine ungestillte Sehnsucht wird noch manchen wecken und zu ihm ziehen.

1955 *Richard Benz*

Inhalt